PSIC
TERESA

Desarrollo humano de una Doctora de la Iglesia

LUIS JORGE GONZÁLEZ

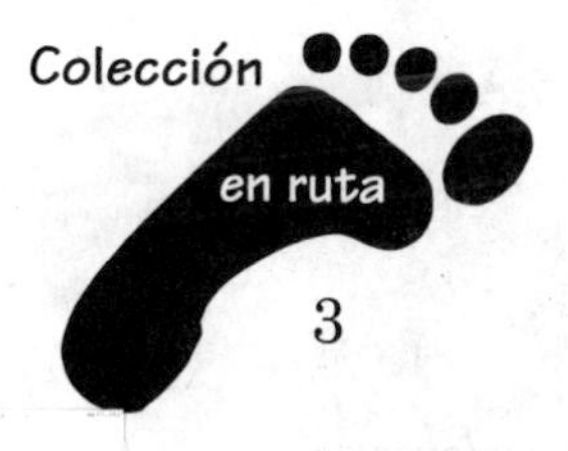

OBRA NACIONAL DE LA BUENA PRENSA, A.C.
CIUDAD DE MÉXICO

Psicología de Teresa de Lisieux
Desarrollo humano de una Doctora de la Iglesia

Colección En Ruta, núm. 3.

Primera edición, marzo 2000
Cuarta edición, febrero del 2001

Hecho en México.

ISBN: 970-693-041-8

Con las debidas licencias.

Se terminó de imprimir esta cuarta edición el día 25 de febrero del 2001, festividad del beato Sebastián de Aparicio, en los talleres de Editorial Progreso, S.A. de C.V. Naranjo 248. Col. Sta. Ma. la Ribera. 06400 México, D.F.

Dedico estas páginas a Felipe Sáinz de Baranda y a todos los carmelitas descalzos, mis hermanos, lo mismo que a todas las carmelitas descalzas, que me han permitido conocer y aprovechar las enseñanzas de santa Teresa de Lisieux, Doctora de la Iglesia.

Índice

INTRODUCCIÓN

Teresa de Lisieux, nacida el 2 de enero de 1873, muere a la edad de 24 años, el 30 de septiembre de 1897.

Ahora es una de las figuras más luminosas en la historia de la humanidad. Conocida y valorada por cristianos y no cristianos en el mundo entero, ejerce un magisterio espiritual de alcance universal. Por ello SS. Juan Pablo II la ha declarado doctora de la Iglesia el 19 de octubre de 1997.

Su riqueza personal no se limita al aspecto espiritual. También su dimensión humana se demuestra ejemplar. Sí, así es: Teresa de Lisieux se nos ofrece como un modelo de desarrollo humano, porque ha hecho un recorrido desde la inmadurez casi neurótica hasta su plena realización como persona.

Ella demuestra con su vida que el desarrollo humano, aun contando con la gracia poderosa del Señor, reclama el esfuerzo personal y el despliegue de los propios recursos humanos.

Mi acercamiento a la nueva doctora de la Iglesia es decididamente psicológico. Pretendo especificar *cómo* utilizó sus recursos humanos para superar sus innegables limitaciones humanas. Sé que otros estudiosos se han detenido a considerar los trastornos psicológicos que afectaban a Teresa.[1] Aunque son pocos los estudios sobre este aspecto patológico, son menos todavía los que se ocupan del desarrollo psicológico de esta joven francesa y carmelita.[2]

---

1. J. Maître, *L'Orpheline de la Bérésina. Thérèse de Lisieux.* Paris, Cerf, 1995, pp. 145-240. R. Masson, *Souffrance des hommes.* Versailles, Saint-Paul, 1997, pp. 13-34. Th. Mercury, *Essai sur Thérèse Martin.* Paris, L'Harmattan, 1997, pp. 69-87.

2. Resulta fundamental a este respecto la obra magistral de C. De Meester, *La dinámica de la confianza.* Burgos, Monte Carmelo, 1998.

Me propongo insistir en esta última perspectiva, la del cambio y desarrollo de la personalidad de Teresa. Pero más que subrayar los datos históricos a este respecto, prefiero observar los *procesos humanos* o *psicológicos* que ella emprende para lograr su cambio y crecimiento personales.

La corriente psicológica que voy a emplear en mi acercamiento a Teresa no es ninguna de las primeras cuatro corrientes del siglo pasado –psicoanálisis, conductismo, psicología humanística, psicología transpersonal- sino la más joven corriente psicológica que, con ímpetu juvenil y técnicas aprendidas en el estudio de grandes hombres y grandes mujeres, como Teresa de Lisieux, nos capacita para emprender los retos de este tercer milenio. Me refiero a la **PNL** –*programación neuro-lingüística.*[3]

A continuación podrás gozar, con sorpresa y admiración, que Teresa, sin formación psicológica universitaria y antes del desarrollo de la psicología científica, supo poner en práctica las técnicas de desarrollo humano que esta ciencia, en especial la PNL, nos ofrece un siglo más tarde. Ella demuestra así que es verdad lo que sostienen los impulsores de la PNL cuando dicen que esta corriente de psicología "no es una invención, sino un descubrimiento". En efecto, ya Teresa usaba exactamente de la misma manera muchas de las técnicas de la PNL. En este sentido, se nos ofrece como un *modelo* digno de ser imitado.

---

3. Esta corriente ha nacido en la primera mitad de la década de los 70. John Grinder y Richard Bandler, en Santa Cruz, California, hicieron descubrimientos geniales al estudiar y "modelar" a tres psicoterapeutas geniales y eficaces: Fritz Perls, fundador de la *terapia gestalt;* Virginia Satir, fundadora de la *terapia familiar;* Dr. Milton H. Erickson, fundador de la *hipnosis ericksoniana.* Así, imitando a estos tres genios, se inició la PNL –*programación neuro-lingüística.* Cfr S. Andreas and Ch. Faulkner (eds.) *PNL. La nueva tecnología del éxito.* Barcelona, Urano, 1998. R. Dilts, J. Grinder, R. Bandler, L. Cameron-Bandler, J. De Lozier, *Programmazione neuro linguistica.* Roma, Astrolabio, 1982. R. B. Dilts, T. A. Epstein, *Aprendizaje dinámico con PNL.* Barcelona, Urano, 1997. J. O'Connor and J. Seymour, *Introducing neuro-linguistic programming.* London, Harper Collins, 1990. L. J. González, *PNL. Éxito y excelencia personal.* Monterrey, México, Font, 1997.

Las áreas del vivir humano que Teresa de Lisieux supo desarrollar de modo ejemplar, y que vamos a estudiar en este breve ensayo, son:

- Modelo de autoestima
- Acogida activa del don de la salud
- Maestria en el arte de pensar
- Libertad emocional
- Comportamiento excelente
- Mision personal: alma del desarrollo humano
- Teresa en la forja de la historia

Al presentar esta *edición* del ensayo sobre el *desarrollo humano* de Teresa de Lisieux, quisiera hacer notar el gran atractivo de esta nueva Doctora de la Iglesia. En un año se han agotado los 5000 ejemplares de la primera edición, y hemos hecho una reimpresión de 2000 ejemplares. De veras Teresa de Lisieux representa un modelo atractivo para todo tipo de personas y para miembros de diferentes religiones.

En esta edición he duplicado el número de páginas. También he añadido dos temas nuevos: Mision personal: *Alma del desarrollo humano y Teresa en la forja de la historia.*

Deseo para ti, lector amable, que encuentres en Teresa de Lisieux un modelo de desarrollo humano que, además de animarte a practicar lo que ella hacía, te acompañe con su intercesión constante ante Dios para *bien* tuyo, de los tuyos, de tu sociedad, de tu Iglesia, de tu religión y de toda la humanidad. Ella es la que ha dicho: "*quiero pasar mi cielo haciendo el bien en la tierra*".

1. MODELO DE AUTOESTIMA

La actitud de respeto, aprecio e impulso del propio desarrollo, que podemos admirar en Teresa de Lisieux y que conocemos con el nombre de *autoestima*, se halla ligada de modo directo con el segundo y primer mandamientos.

A la pregunta: "cuál es el primero de todos los mandamientos?", Jesús replica sin vacilación y con voz firme: "El primero es: *Escucha, Israel: El Señor, nuestro Dios, es el único Señor, y amarás al Señor, tu Dios, con todo tu corazón, con toda tu alma, con toda tu mente y con todas tus fuerzas. El segundo es: Amarás a tu prójimo como a ti mismo. No existe otro mandamiento mayor que éstos...*" (Mc 12,28-31).

El segundo mandamiento presupone que la persona sabe amarse, que tiene un buen nivel de *autoestima*. Eric Fromm llega a sostener que el *amor a sí mismo* constituye una condición indispensable para realizar las otras formas del amor: materno, paterno, fraterno, filial y a Dios.[1]

Cierto, la *autoestima* se mueve entre dos extremos igualmente peligrosos. Imagina una escala del 0 al 100. La autoestima, en cuanto respeto, cuidado y promoción del propio yo dentro de los límites de lo razonable, se movería entre el 25 y el 75.

Si tocamos el extremo inferior, el número 25 de la escala, abandonamos el respeto y cuidado razonables de uno mismo. Caemos entonces en el rechazo

---

1. E. Fromm, *El arte de amar*. Buenos Aires, Paidós, 1982, pp. 62-67.

del propio yo. Aceptamos un diálogo interno negativo respecto a sí mismo. Nos dejamos llevar de la *culpa* y la *autodestructividad*. Así descendemos hasta el nivel cero, que corresponde a la *depresión*. Esta, como es sabido, puede conducir al extremo más radicalmente opuesto a la autoestima: el *suicidio*.

En el extremo superior contrario a la autoestima nos topamos con el amor propio, el egoísmo, la vanidad, la soberbia, la prepotencia y la agresividad. Fromm señala que entre el amor a sí mismo, que el Señor prescribe en el segundo mandamiento, y el egoísmo existe una gran diferencia: "El egoísmo y el amor a sí mismo, lejos de ser idénticos, son realmente opuestos".[2] Los excesos del egoísmo y la soberbia, en realidad, resultan igualmente *autodestructivos*. Ellos nos hunden en el aislamiento, la soledad, el rechazo ajeno, el odio y desprecio de parte de los demás.

Teresa de Lisieux sabe evitar ambos extremos. Es indudable que, en ciertos momentos de su vida, se acerca peligrosamente al abismo oscuro de la depresión. Con la pérdida de su madre, a los cuatro años y medio, pierde el brillo de su habitual alegría y el empuje de su seguridad y apertura. "Mi temperamento feliz cambió por completo. Yo, tan vivaracha y efusiva, me hice tímida y callada y extremadamente sensible. Bastaba una mirada para que prorrumpiese en lágrimas, sólo estaba contenta cuando nadie se ocupaba de mí, no podía soportar la compañía de personas extrañas y sólo en la intimidad del hogar volvía a encontrar mi alegría".[3]

Más tarde, cuando casi tiene 10 años, parte al Carmelo su hermana Paulina que, hasta entonces ha hecho el papel de segunda madre. Meses después, tal vez a resultas de esta segunda pérdida, Teresa es víctima de aquella "enfermedad tan extraña" que ella misma no acaba de explicarse. Incluso llega a dudar si "había fingido estar enferma". Escribe al respecto:

---

2. Ib., p. 65.

3. Sta. Teresa de Lisieux, *Manuscrito A* [13r°], en sus *Obras completas*. Burgos, Monte Carmelo, 1996, p. 104.

"No es extraño que temiese haber fingido estar enferma sin estarlo de verdad, pues decía y hacía cosas que no pensaba. Parecía estar en un continuo delirio, diciendo palabras que no tenían sentido, y sin embargo estoy segura de que no perdí ni un solo instante el uso de la razón... *Con frecuencia me quedaba como desmayada, sin hacer el menor movimiento... sin embargo, oía todo lo que se decía a mi alrededor, y todavía me acuerdo de todo."* [4]

Cuando su prima Jeanne Guérin describe el inicio de esa extraña enfermedad, la tarde del 25 de marzo de 1883, explica que Teresa fue presa "de un temblor violento que, de pronto, hizo pensar en una fiebre. Después se manifestó con la depresión, un estado de semi-alucinación que la hacía ver los distintos objetos o las conductas de quienes la rodeaban como formas espantosas..."[5]

En este testimonio oficial, al parecer, Jeanne utiliza la palabra *depresión* para referirse a la primera impresión de la familia o del médico familiar. No parece dar un significado estrictamente clínico al término. Sin embargo, no deja de ser indicativo. Sugiere que Teresa se acerca realmente a la orilla del abismo oscuro de la depresión.

Un dato interesante: El deseo de volver a abrazar a Paulina en su toma de hábito produce una mejoría inesperada. Es el 6 de abril de 1883. Pero al día siguiente, ya en su casa, vuelve a recaer. Los síntomas vuelven a agravarse. La "extraña enfermedad" desconcierta al Dr. Notta, que por un momento habla de "baile de san Guido", pero que excluye formalmente el histerismo.

Después de cinco semanas de angustia, la fe de la familia Martín obtiene por fin la curación que la medicina es incapaz de procurar. El domingo 13 de

---

4. Ib. [28v°], p. 131.

5. Testimonio de Jeanne Guérin en el proceso de canonización.

mayo de 1883, día de Pentecostés, la niña se siente repentinamente liberada por "la encantadora sonrisa de la santísima Virgen".[6]

Cierto, Teresa también vive, aunque sea por momentos, el peligro del otro extremo, el del amor propio o del orgullo. Esto vale, en especial, para la época feliz de sus primeros años. Ella misma reconoce ese peligro que, según la psicología, la alejaría de la verdadera autoestima. Escribe:

> *"Tenía también otro defecto (estando despierta), del que mamá no habla en sus cartas, que era un gran amor propio. No voy a darte más que dos ejemplos para no alargar demasiado mi narración. Un día, me dijo mamá: 'Teresita, si besas el suelo, te doy cinco céntimos'. Cinco céntimos eran para mí toda una fortuna, y para ganarlos no tenía que bajar demasiado de mi* altura, *pues mi* exigua *estatura no me separaba muchos palmos del suelo. Sin embargo, mi orgullo se rebeló a la sola idea de* besar el suelo, *y poniéndome muy tiesa le dije a mamá: '¡No, mamaíta, prefiero quedarme sin los cinco céntimos...!*
> *En otra ocasión teníamos que ir a Grogny, a visitar a la señora de Monnier. Mamá le dijo a María que me pusiese mi precioso vestido azul celeste, adornado de encajes, pero que no me dejara los brazos al aire, para que el sol no me los tostase. Yo me dejé, con la indiferencia propia de las niñas de mi edad; pero interiormente pensaba que habría estado mucho más bonita con los bracitos al aire."* [7]

En realidad, el peso del dolor y de la enfermedad alejaron a Teresa de ese extremo contrario a la autoestima que es el orgullo. Sin embargo, sigue merodeando por los terrenos del otro extremo, el de la

6. Sta. Teresa de Lisieux, *Manuscrito A* [30rº], o. c., p. 134.

7. Ib., [8rº-8vº], p. 94.

depresión. Pues no obstante el haber sanado de aquella extraña enfermedad, mantiene una actitud retraída, tímida e hipersensible. Teniendo en cuenta estos rasgos de carácter y aquella enfermedad, algunos llegan a pensar que Teresa pudiera ser una neurótica, al menos en este período de su vida.

No olvidemos, por otra parte, que Teresa va a conservar una fobia a las arañas a lo largo de su vida. Pocas semanas antes de morir hace a Paulina esta confesión:

> *"En el estado de debilidad en que me encuentro, me pregunto qué sería de mí si viese una araña grande en la cama. Pero, en fin, quiero aceptar también ese miedo por Dios. ¿... Y si tú le pidieras a la Santísima Virgen que no suceda eso?"*[8]

Además de esta fobia, Teresa sufre también un trastorno emparentado con la neurosis obsesivo-compulsiva: "la terrible enfermedad de los escrúpulos (...); imposible decir lo que sufrí durante un año y medio".[9]

María, su hermana mayor, se convierte entonces en su "único oráculo".[10] La madrina, llena de paciencia, escucha todas las noches la confesión, empapada en lágrimas, de su hermanita. Teresa se vuelve, debido a "su extremada sensibilidad, verdaderamente insoportable".[11]

Para adquirir el nivel normal de *autoestima*, manteniéndose en el punto medio entre la depresión y el orgullo, Teresa tiene que recibir "la gracia de Navidad" en el año 1886.

---

8. Sta. Teresa de Lisieux, *Últimas conversaciones* [18.8.7], en sus *Obras completas*, o. c., p. 874.
9. Sta. Teresa de Lisieux, *Manuscrito A* [39r°], o. c., p. 152.
10. Ib. [41r°], p. 156.
11. Ib. [44v°], p. 163.

Ahora seremos testigos del poder que tiene la conjunción de la gracia de Dios y de la libertad de la persona. Teresa narra este hecho, que denomina "pequeño milagro", recordando su ya mencionada hipersensibilidad.

> *"Debido a mi extremada sensibilidad, era verdaderamente insoportable. Si, por ejemplo, sucedía que hacía sufrir involuntariamente un poquito a un ser querido, en vez de sobreponerme y no* llorar, lloraba *como Magdalena, lo cual aumentaba mi falta en lugar de atenuarla, y cuando comenzaba a consolarme de lo sucedido,* lloraba *por* haber llorado. *Todos los razonamientos eran inútiles, y no lograba corregirme de tan feo defecto."* [12]

En la noche de Navidad, después de la Misa de Gallo, su queridísimo papá hace un comentario de fastidio a la vista de los zapatos de Teresa colocados junto a la chimenea: "¡Bueno, menos mal que es el último año!".

Teresa ha escuchado estas palabras que la hieren profundamente. Su hermana Celina, que la conoce como una niña hipersensible, le recomienda que no baje a buscar los regalos puestos en los zapatos.

> *"Pero Teresa ya no era la misma, ¡Jesús había cambiado su corazón! Reprimiendo las lágrimas, bajé rápidamente la escalera, y conteniendo los latidos del corazón, cogí los zapatos y, poniéndolos delante de papá, fui sacando* alegremente *todos los regalos, con el aire feliz de una reina. Papá reía, recobrando ya su buen humor, y Celina creía estar* soñando... *Felizmente, era una hermosa realidad: ¡Teresita había vuelto a encontrar la fortaleza de ánimo que había perdido a los cuatro años y medio, y la conservaría ya para siempre...!"* [13]

---

12. Ib. [44vº], pp. 163-164.

13. Ib. [45rº], p. 165.

En este texto autobiográfico hay algunos detalles que revelan la colaboración de Teresa con la gracia que Jesús le otorga. Ella no experimenta un cambio automático que se hubiera apoderado de su corazón repentinamente. No. Para acoger la gracia tiene que hacer un esfuerzo como el que todo cambio personal reclama: *Reprimiendo las lágrimas, bajé rápidamente la escalera, y conteniendo los latidos del corazón, cogí los zapatos y...*

A partir de este momento, entre otras cosas, sube el nivel de su *autoestima*. Deja de verse como una niña susceptible. Luego, con el hecho de demostrarse a sí misma que puede contener las lágrimas y sobrellevar los latidos agitados de su corazón, se siente más valiosa y capaz de muchas cosas.

Cuando vuelve la mirada sobre lo ocurrido en esa noche navideña, muy apegada a la realidad, enfatiza la combinación de la gracia y de su propio esfuerzo. Describe, con tonos fuertes y vivos, la bella amalgama de la gracia ofrecida por Jesús y de la acogida pronta y activa que ella le da.

> *"En esta noche, en la que él se hizo débil y doliente por mi amor, me hizo a mí fuerte y valerosa; me revistió de sus armas, y desde aquella noche bendita ya no conocí la derrota en ningún combate, sino que, al contrario, fui de victoria en victoria y comencé, por así decirlo, 'una carrera de gigante'. "* [14]

En las últimas frases, muy en la línea de la *autoestima*, destacan los sentimientos de seguridad y confianza en sí misma. Sin olvidar que Jesús la hizo *fuerte y valerosa*, se siente dotada de los recursos necesarios para ir, ella misma, *de victoria en victoria.*

En la vida diaria, la actitud de autoestima se manifiesta, sobre todo, en dos aspectos de lo que la PNL denomina *procesos internos*: 1) *representación de sí mismo,* 2) *diálogo interno.*

---

14. Ib. [44vº], p. 164.

La *representación de sí mismo* conduce, de ordinario, a la formación de una *imagen o retrato del propio yo.*[15] Resulta obvio que Teresa, no obstante sus cuidados por evitar los excesos del "amor propio", y exhibiendo una auténtica humildad, se describe con imágenes positivas. Al mismo tiempo se considera pequeña y grande. Escribe de sí misma:

> *"Yo me considero un débil pajarito cubierto únicamente por un ligero plumón. Yo no soy águila, sólo tengo de águila los ojos y el corazón, pues, a pesar de mi extrema pequeñez, me atrevo a mirar fijamente al Sol divino, al Sol del amor, y mi corazón siente en sí todas las aspiraciones del águila..."*[16]

Las metáforas que emplea en este autorretrato ponen de manifiesto el *diálogo interno* que, en su mente, ella sostiene consigo misma.[17] Ha aprendido a hablar bien de sí misma, al estilo de Jesús:

- *"Yo soy la luz del mundo"* (Jn 8,12).
- *"Yo soy el camino"* (Jn 14,6).
- *"Yo soy la puerta del rebaño"* (Jn 10,7).
- *"Yo soy el buen pastor"* (Jn 10,11).
- *"Yo soy el pan de vida"* (Jn 6,48).
- *"Yo soy la vida"* (Jn 14,6).
- *"Yo soy la verdad"* (Jn 14,6).
- *"Yo soy tolerante y humilde"* (Mt 11,29).

---

15. Sobre las técnicas para cambiar la propia imagen, acercándonos un poco a la positiva y bellísima imagen que Dios tiene de cada persona, de modo que podamos vivir la *autoestima*, Cfr S. Andreas y Ch. Faulkner, *PNL. La nueva tecnología del éxito.* Barcelona, Urano, 1998, pp. 245-276.

16. Sta. Teresa de Lisieux, *Manuscrito B* [4vº], en sus *Obras completas*, o. c., pp. 264-265.

17. Normalmente los autores que estudian la *autoestima* señalan cuán importante resulta lo que nos decimos en la mente acerca de nosotros mismos. Cfr Ch. André, F. Lelord, *L'estime de soi.* Paris, Odile Jacob, 1999. H. H. Bloomfield, *Making peace with yourself.* New York, Ballantine, 1992. S. Helmstetter, *What to say when you talk to yourself.* New York, Pocket, 1987. L. J. González, *Autoestima.* Buenos Aires, Lumen, 1999. C. Hillman, *Recovery of your self-esteem.* New York, NY, Simon & Schuster, 1992. M. E. P. Seligman, *Learned optimism.* New York, Pocket, 1992.

Notemos que Jesús, al hablar bien de sí mismo, se refiere al nivel de la *identidad*. Por ello emplea el verbo *ser*. Así alude a lo que él *es* en su propio ser. No alude, por ahora, a lo que la PNL denomina el nivel de las *conductas*. No obstante que todo lo hace bien, cuando habla positivamente de sí mismo, está pensando en su ser o identidad.

Otro tanto hacen los santos. Cuando se trata de las *conductas*, incluso hablan mal de sí mismos. Por ejemplo, san Juan de la Cruz ofrece a sus discípulos la recomendación de "procurar hablar en su desprecio y desear que todos lo hagan".[18]

Sin embargo, cuando hay que mencionar la propia *identidad*, las cosas cambian radicalmente. Entonces el mismo santo se adelanta a sostener:

> *El alma "en sí es una hermosísima y acabada imagen de Dios".*[19]
> *"El alma desordenada, en cuanto al ser natural, está tan perfecta como Dios la creó, pero, en cuanto al ser de razón está fea, abominable, sucia, oscura..."* [20]
> *"Un solo pensamiento del hombre vale más que todo el mundo; por tanto, sólo Dios es digno de él."* [21]

Tal como sugiere el Místico carmelita en estas frases, cuando alguien habla de su propia *identidad* hace referencia, implícita o explícitamente, a Dios que da el *ser* a todas las criaturas humanas. En consecuencia, no hay peligro de vanidad, orgullo, soberbia ni nada que se le parezca.

---

18. S. Juan de la Cruz, *Subida al Monte Carmelo* 13, 9, en sus *Obras completas*. Madrid, BAC, 1960.

19. Ib., 9, 2.

20. Ib., 9, 3.

21. S. Juan de la Cruz, *Dichos de luz y amor* 34.

Teresa capta muy bien, con su habitual agudeza, el horizonte abierto por la autoestima. Al comienzo de su primer manuscrito autobiográfico, situándose en el nivel de la *identidad* o del *ser*, habla de sí misma en los términos positivos y humildes que corresponden a la autoestima. Leamos sus propias palabras:

> *"El ha querido crear grandes santos, que pueden compararse a los lirios y a las rosas; pero ha creado también otros más pequeños, y éstos han de conformarse con ser margaritas o violetas destinadas a recrear los ojos de Dios cuando mira hacia sus pies. La perfección consiste en hacer su voluntad, en ser lo que él quiere que seamos..."*[22]

La última frase de este texto nos ofrece la oportunidad de elaborar una definición de la *autoestima* en su forma más profunda: *Ser lo que Dios quiere que seamos.*

¿Qué es lo que Dios quiere que seamos? El quiere que desarrollemos nuestra identidad. Y en la hondura del centro personal, además de otros aspectos de nuestro ser, somos dos cosas sobre todo:

- *Personas*
- *Hijos de Dios*

El camino que Dios quiere que sigamos, para llegar a *ser lo que El quiere que seamos*, es el del amor radical a El, de acuerdo a las exigencias del primer mandamiento. Por cierto, éste es el camino emprendido por Teresa para realizar la autoestima hasta sus últimas consecuencias. Ella ha visto florecer en su personalidad los efectos de la práctica del primer mandamiento. Tales efectos han sido descritos por san Juan de la Cruz, el gran maestro espiritual de Teresa:

---

22. Sta. Teresa de Lisieux, *Manuscrito A* [2vº], o. c., p. 84.

"Dios no se sirve de otra cosa sino de amor... y es, porque todas nuestras obras y todos nuestros trabajos, aunque sean todas las que más pueden ser, no son nada delante de Dios, porque en ellas no le podemos dar nada ni cumplir su deseo, el cual sólo es de engrandecer al alma. Para sí nada de esto desea, pues no lo ha menester; y así, si de algo se sirve, es de que el alma se engrandezca; y, como no hay otra cosa en que más la pueda engrandecer que igualándola consigo, por eso solamente se sirve de que le ame; porque la propiedad del amor es igualar al que ama con la cosa amada." [23]

El ánimo parece decaer ante el peso del amor divino. *Lo que El quiere que seamos* está claro: *engrandecer a la persona igualándola consigo.* Por este motivo pide a cada ser humano que le ame con la radicalidad del primer mandamiento: *Porque la propiedad del amor es igualar al que ama con la cosa amada.*

Teresa consigue su desarrollo humano más allá de lo previsible, mediante la práctica del amor a Dios. Por lo mismo, se deja engrandecer por Dios, más allá de su inmadurez psicológica, precisamente porque lo ama con todo su ser. En Jesús lo ama "con locura".[24] Escribe: "¡Quisiera amarlo tanto...! ¡Amarlo como nunca lo ha amado nadie!".[25]

Así se llega a las vetas más altas de la autoestima. Al amar a Dios Teresa procura para sí misma el máximo Bien, que es Dios mismo. En consecuencia, Dios la engrandece "igualándola consigo".

---

23. S. Juan de la Cruz, *Cántico espiritual* 28, 1.

24. Sta. Teresa de Lisieux, *Manuscrito A* [82vº], p. 243.

25. Sta. Teresa de Lisieux, *Carta* 74 (6 de enero de 1889), en sus *Obras completas*, o. c., p. 398.

Ante el panorama espléndido que el amor a Dios abre a la criatura humana, es posible replantear la definición de *autoestima*. Esta actitud de cuidado, respeto, promoción, desarrollo e impulso del propio yo hacia la plenitud, se resume como sigue:

> *"La autoestima consiste en querer para uno mismo todo el bien que, en el mundo y en Sí mismo, ofrece Dios a cada uno para que llegue a ser el que El quiere que sea."* [26]

---

26. Explico con amplitud y detalles esta concepción de *autoestima* en L. J. González, *Autoestima*, o. c.

2. ACOGIDA ACTIVA DEL DON DE LA SALUD

Teresa recupera, junto con su autoestima, la buena salud. Hay momentos de su vida religiosa que evidencian en ella una salud mejor que la de sus hermanas de comunidad.

Se convierte así en un modelo no sólo de autoestima, sino también de *acogida activa del don de la salud.*

Es probable que, de inmediato, venga a tu mente una objeción, ¿cómo puede ser modelo de salud alguien que muere a los 24 años víctima de una tuberculosis?

Sé que muchos jóvenes franceses morían de tuberculosis en esa época.[1] Sin embargo, considero que cumplía condiciones mentales o psicológicas para ser una sobreviviente igual que sus hermanas.

Apoyo este punto de vista en el concepto de *salud* que nos ofrece la Organización Mundial de la Salud. Los médicos que configuraban esta Organización en 1946 sostenían que "la salud es un estado de perfecto bienestar físico, mental y social, y no sólo la ausencia de enfermedad".

Más recientemente proponen una nueva definición. Esta resulta más realista y humilde. En ella se sostiene que la *salud* es:

1. G. Gaucher, *L'ultima malattia*, en AA. VV., *Teresa di Lisieux. Vita. Dottrina. Ambiente.* Arenzano, Messaggero, 1996, pp. 235-246.

> *"Un proceso de capacitación de los individuos y comunidades para que tengan un mejor control de los factores determinantes de la salud."* [2]

En la literatura médica contemporánea podemos individuar los siguientes *factores determinantes de la salud.*[3]

1. Pensaniento

Hoy día, en el campo médico, se sabe que nuestros pensamientos repercuten, en cuestión de segundos, en el cuerpo. Por ello se nos recomienda pensar en la *salud* cuando la enfermedad nos visita. Nuestro ser, de suyo, es saludable. La enfermedad es como una mancha de vino tinto en el blanco lino de un mantel. Los pensamientos positivos son como el blanqueador añadido a la lejía para ayudarnos a recuperar la salud característica de nuestro cuerpo.

2. Sentimiento

Los sentimientos poseen un componente orgánico, sobre todo en el ámbito hormonal. En consecuencia, los *sentimientos negativos* –odio, ira, tristeza, ansiedad, desesperación, etcétera–, favorecen la enfermedad. En cambio, los *positivos* –amor, alegría, paz, esperanza, etcétera–, sostienen la salud o ayudan a recuperarla.

3. Comportamiento

Está claro que las conductas que configuran el propio estilo de vida –alimentación, ejercicio físico, actividad, trabajo, respiración profunda, habilidad para serenarse, descanso, sueño, etcétera– tienen un impacto directo en la salud.

---

2. Citada por el Dr. K. R. Pelletier, *Sound mind, sound body.* New York, Simon & Schuster, 1994, p. 70.

3. Los describo en detalle en L. J. González, *Amor, salud y larga vida.* Monterrey, México, Font, 1996.

4. Conexión mente-cuerpo

Otro factor determinante de la salud es la propia convicción acerca del influjo que la propia mente puede tener en el cuerpo. Al aceptar este hecho se abre la posibilidad de afectar la salud personal.

5. Sistema inmunológico

Un sistema inmunológico activo y equilibrado consigue enfrentar eficazmente los *antígenos externos* –bacterias, virus, parásitos, hongos– y los *antígenos internos* –las células anormales del cáncer o los excesos que conducen a las enfermedades de autoinmunidad–. El equilibrio y la eficiencia del sistema inmune se pierden con el *estrés*. Este hace que arrojemos en la sangre grandes cantidades de cortisol y adrenalina que son capaces de destruir el sistema inmunológico.[4] Lo contrario del estrés consiste en la paz y serenidad.

6. Relaciones de amistad y altruismo

Hoy sabemos, con base en investigaciones y experimentos de tipo médico, que la salud mejora cuando tenemos un grupo de apoyo, amistades profundas, actividades de servicio y ayuda, sobre todo, cuando vivimos el amor.[5]

7. Visión o ideal elevado

Cuando reconocemos la *misión personal* dentro de la propia vocación, resulta normal que dibujemos material o mentalmente una imagen que describe nuestra *visión*. En ésta se contienen metas elevadas que,

---

4. L. J. González, *Libertad ante el estrés*. Monterrey, México, Font, 1993.
5. Cfr D. Chopra, *Ageless body, timeless mind*. New York, NY, Harmony Books, 1993, pp. 330-334. H. Dreher, *The immune power personality*. New York, Penguin, 1995, pp. 211-287. A. Walsh, *The science of love*. Buffalo, NY, Prometheus Books, 1996, pp. 97-136.

de una u otra manera, son esencialmente altruistas. El afán de cumplir la propia misión para realizar la *visión* que nos atrae, reclama y genera salud.[6]

8. Meditación

Médicos de distintos credos religiosos, tras múltiples experimentos iniciados en la década de los 70, reconocen que la *meditación*, que los cristianos denominamos *meditación cristiana*[7] –oración del corazón, oración de recogimiento (Sta. Teresa de Avila), oración de atención amorosa (S. Juan de la Cruz), etcétera– entraña muy variados beneficios de tipo corporal. Entre otros se menciona: inducción de ondas alfa en la actividad cerebral, ritmo cardíaco sereno, disminución del lactato que causa tensión muscular, disminución en el consumo de oxígeno en las células, etcétera.[8]

Teniendo a la vista este conjunto de *factores determinantes de la salud,* surge espontánea la convicción de que Teresa de Lisieux los ha puesto en juego en su mayoría.

La *meditación* diaria, la *visión elevada* que orienta su misión personal, las relaciones de *amistad* junto con el *altruismo*, la serenidad que estimula eficaz y equilibradamente el funcionamiento del *sistema inmune*, los *sentimientos* y *pensamientos* de tipo positivo, así como un *comportamiento* en gran parte saludable, se hallan presentes en la vida de Teresa dentro del Carmelo.

---

6. Dr. K. R. Pelletier, *Sound mind, sound body*, o. c., pp. 231-276.

7. Card. J. Ratzinger, *La meditación cristiana*. Roma, Congregación para la Doctrina de la Fe (15-X-1989).

8. H. Benson with M. Z. Klipper, *The relaxation response*. New York, NY, Avon, 1976. H. Benson with W. Proctor, *Your maximum mind*. New York, NY, Avon, 1989. H. Benson with M. Stark, *Timeless healing*. New York, NY, Scribner, 1996. L. Dossey, *Healing words*. New York, NY, HarperSanFrancisco, 1993. L. Dossey, *Prayer is good medicine*. New York, NY, HarperSanFrancisco, 1996. D. Goleman, *La forza della meditazione*. Milano, Rizzoli, 1997.

Cierto, le falta una alimentación saludable, pues en su época las carmelitas comen de modo más bien deficiente. Añádase a esto los ayunos y mortificaciones. Además, tampoco dormía lo necesario a causa del frío intenso. Pero, en general tenía, como diría la Organización Mundial de la Salud, un buen control de los factores determinantes de la salud.

La prueba es que pasa años de salud estupenda. Cuenta ella misma que cuando hubo una epidemia de gripe en la comunidad, el día en que cumple 19 años muere una hermana. Poco después otras dos.

Ella se mantiene sana junto con otras dos hermanas. "En esa época, yo estaba sola en la sacristía, por estar muy gravemente enferma mi primera de oficio. Yo tenía que preparar los entierros, abrir las rejas del coro para la misa, etcétera... Ahora me pregunto cómo pude hacer todo lo que hice sin sentir miedo. La muerte reinaba por doquier. Las más enfermas eran cuidadas por las que apenas se tenían en pie. En cuanto una hermana exhalaba su último suspiro, había que dejarla sola".[9]

Que Teresa consiga mantenerse sana en un ambiente tan patológico y tan altamente contagioso revela el óptimo funcionamiento de su sistema inmunológico.

¿Qué es lo que debilita su sistema inmunológico? ¿Por qué dos años y medio más tarde su salud empieza a quebrantarse?

En junio de 1894 –tiene 21 años y medio– aparecen los primeros documentos que mencionan los cuidados especiales que se le dispensan. Ya en julio, su hermana Paulina, que ahora se llama Inés, escribe a Celina su hermana: "Sor Teresa del Niño Jesús no sigue peor, pero continúa con sus horas de dolor de garganta; le sobreviene por la mañana, y por la tarde hacia las ocho y media; además está un poco ronca. En fin, la cuidamos lo mejor que podemos".

El año 1895 parece traer una mejoría. No hay alusiones a su enfermedad. Incluso la hermana Teresa de San Agustín relata: "En el mes de abril de 1895

---

9. Sta. Teresa de Lisieux, *Manuscrito A* [79rº], p. 236.

me hizo esta confidencia: 'Moriré pronto'... Cuando sor Teresa hablaba así, gozaba de una perfecta salud".[10]

Pasa el invierno. En la cuaresma (19 de febrero – 5 de abril de 1896), Teresa observa el ayuno "en todo su rigor. Nunca me había sentido tan fuerte, y mis fuerzas se mantuvieron hasta Pascua. Sin embargo, el día de Viernes Santo Jesús quiso darme la esperanza de ir pronto a verlo en el cielo... ¡Qué dulce recuerdo el que tengo de ello...! Después de haberme quedado hasta le media noche ante el monumento, volví a nuestra celda. Pero apenas había apoyado la cabeza en la almohada, sentí como un flujo que subía, que me subía borboteando hasta los labios... Me dije a mí misma que tendría que esperar hasta la mañana para cerciorarme (...) pues me parecía que lo que había vomitado era sangre".[11]

En efecto, se trata de la primera hemoptisis que se repetirá la noche siguiente. El primer médico que la ausculta, Dr. Francis La Néele, primo de Teresa, no concede importancia a este hecho tan grave. Es de suponer que la misma Teresa no le ayuda. Pues de haberse expresado en los términos que emplea en el *Manuscrito C*, arriba citado, cualquier médico se hubiera alarmado.

En junio, una carta de sor María del Sagrado Corazón, hermana de Teresa, señala que ésta no ha empeorado. Pero tampoco mejora. En efecto, "una tosecilla seca y persistente" fatiga a Teresa "durante el verano de este mismo año de 1886". Sufre dolores de pecho.

En el mes de noviembre, ante la posibilidad de que Teresa vaya a un Carmelo de Indochina, se hace una novena al beato Teófano Vénard "para obtener su completa curación".

La verdad es que "justamente durante la novena" se pone otra vez a toser. Desde entonces "voy de mal en peor" confesará Teresa en mayo de 1897.

10. Citada por G. Gaucher, *La pasión de Teresa de Lisieux*. Burgos, Monte Carmelo, 1997, p. 46.

11. Sta. Teresa de Lisieux, *Manuscrito C* [4vº-5rº] en sus *Obras completas*, o. c., p. 277.

El 3 de marzo comienza la cuaresma. Debilitada ya por la enfermedad, Teresa hace un esfuerzo sobrehumano para ir a la capilla y participar en el rezo de los salmos. Sin embargo, no puede seguir ya la vida normal de la comunidad. Al final de esta cuaresma cae gravemente enferma. Estamos a comienzo de abril. La primera carta en que menciona su última enfermedad está fechada el 4 de abril, *domingo de Pasión* y aniversario de sus primeras hemoptisis. Sólo que su pasión va a durar ciento ochenta días.

Dejo el desenlace de esta enfermedad para más adelante. Por ahora vuelvo a la pregunta, ¿qué ha hecho que se debilite el sistema inmunológico de Teresa? Antes de buscar una probable respuesta a esta cuestión, quisiera mencionar una nueva teoría sobre la *extraña enfermedad* que ha padecido Teresa a los diez años. Una teoría que conecta la enfermedad infantil con la última enfermedad de la joven carmelita.

El Dr. Robert Masson, a propósito de la *extraña enfermedad*, propone la hipótesis de una *encefalitis tuberculosa*, originada por una infección ocurrida unos seis meses antes.

Esta hipótesis, además de contar con el respaldo de los síntomas que la medicina contemporánea atribuye a la encefalitis tuberculosa, tiene también el apoyo de una recuperación total, que no deja secuela alguna en Teresa.

> *"La mejoría repentina de los síntomas encontraría su explicación al mismo tiempo en la victoria de las defensas inmunológicas y, más especialmente, en la reabsorción siempre rápida y espectacular de los edemas cerebrales, una vez que se logra, y el bienestar inmediato que de ello se desprende."* [12]

---

12. R. Masson, *Souffrance des hommes*. Paris, Saint-Paul, 1997, p. 33.

La salud recuperada totalmente, sin dejar secuelas, vuelve a quebrantarse con un nuevo contagio de tuberculosis. Entonces volvemos a la cuestión: ¿qué hace que su sistema inmunológico se debilite, si sabe controlar los factores determinantes de la salud?

La hipótesis que yo propongo al respecto se refiere a las tensiones que existen en toda comunidad religiosa. Sólo que Teresa vive tensiones en las que está involucrada Paulina, su *Madrecita.*

Esta es priora de las carmelitas de Lisieux de febrero de 1893 a marzo de 1896. La anterior superiora, madre María de Gonzaga ama ejercer el poder. Por lo mismo, interfiere en el gobierno de Paulina o sor Inés de Jesús. Así que Teresa padece "los sufrimientos infligidos a su *Madrecita* cuando ésta es elegida priora".[13] Sufrimientos obviamente causados por la Madre María de Gonzaga a lo largo de los tres años en que sor Inés actúa como priora.

> *"Durante su trienio ha dejado constancia de sus cualidades de priora, y no ha permanecido bajo la influencia de la Madre María de Gonzaga como ésta, más o menos conscientemente esperaba: no sin sufrir y sin hacer concesiones, ella ha sabido gobernar. Pero su sensibilidad vivísima ha conocido numerosas fluctuaciones. Teresa lo va a intentar todo para atenuar la pena de su 'Madrecita', colocada frente a la perspectiva de la próxima muerte de su hermana."* [14]

Se comprende que al final del mandato de la Madre Inés, la elección de la nueva priora resulta muy tensa y difícil. La misma Teresa la describe en tono metafórico, pero claro, a la propia Madre María de Gonzaga en una carta.

13. G. Gaucher, *La pasión de Teresa de Lisieux,* o. c., p. 29.

14. Ib., p. 31.

"Pues bien, en vez de verse elegida por unanimidad como otras veces, sólo después de siete votaciones fue colocado en sus manos el cayado... Tú, (Señor), que antaño lloraste *en nuestra tierra, ¿no comprendes cómo debe sufrir el corazón de mi pastora querida...?"* [15]

Supongo que Teresa ha sufrido en esta época más que lo que ella se ha confesado a sí misma. No obstante que sabe conservar su paz interior, tal como ella misma nos revela en sus *Manuscritos autobiográficos*, las penas y el sufrimiento que vive en los años de priorato de su *Madrecita*, acaban por generar *estrés* en ella. Entonces su sistema inmune se debilita. Y su debilitación aumenta con motivo de la elección de la Madre María de Gonzaga después de *siete votaciones*.

En efecto, sólo unas semanas después, en abril de 1896, padecerá las dos hemoptisis que señalan el comienzo del final.

No obstante semejante desenlace, Teresa sigue apareciendo como un modelo de salud. Me refiero al control que sabe tener de los factores determinantes de la salud. Esta es la parte que le corresponde a cada ser humano: tener un mejor control de tales factores.[16] El resto le toca a Dios.

---

15. Sta. Teresa de Lisieux, *Carta* 190 (29 de junio de 1896), en sus *Obras completas*, o. c., p. 542.

16. La PNL ofrece caminos prácticos para lograr ese mejor control de los factores determinantes de la salud. Cfr R. Dilts, T. Hallbom & S. Smith, *Beliefs. Pathways to health & well-being.* Portland, OR, Metamorphus, 1990. L. J. González, *Salud. Nuevo estilo de vida.* Roma, Teresianum, 1998. I. Mc Dermott & J. O'Connor, *NLP and health.* London, HarperCollins, 1996.

3. MAESTRIA EN EL ARTE DE PENSAR

El *pensamiento*, sin lugar a dudas, constituye el primero de los factores determinantes de la salud. Su potencial y alcances, sin embargo, van más lejos. Resulta decisivo también en otras áreas de la existencia humana: el conocimiento, la reflexión, la filosofía, la teología, la sabiduría, la creatividad, la oración, la santidad, etcétera.[1]

En lo que se refiere al uso y conducción del *pensamiento*, Teresa se demuestra excepcionalmente ejemplar. Aparece en sus escritos como alguien que ha aprendido a emplear su pensamiento para reflexionar, razonar y profundizar el conocimiento.

En nuestro tiempo vamos tomando conciencia de que *pensar*, me refiero a *pensar* rigurosamente, esto es, con exactitud, profundidad, sabiduría o creatividad es importantísimo.[2]

Sin embargo, este modo de pensar no es innato. Constituye un arte que debemos aprender. Necesitamos tiempo, disciplina y estrategias adecuadas para ponernos a pensar de veras. Uno de los grandes especialistas en este campo se atreve a mostrar que "nuestro cerebro ha sido concebido para ser brillantemente *no creativo.* Si fuera diferente sería perfectamente inútil".[3]

---

1. Cfr L. J. González, *Pensar*. Monterrey, México, Publicaciones Monterrey, 1999.

2. Una encíclica papal constituye un ejemplo de la toma de conciencia sobre la importancia del "pensar" en nuestro tiempo: Juan Pablo II, *La fe y la razón* (14-IX-1998). Madrid, San Pablo, 1998.

3. E. De Bono, *Réfléchir mieux*. Paris, Les Éditions d'Organization, 1991, p. 46.

¿Qué significa semejante afirmación? Sencillamente que el cerebro humano ha sido creado para enfrentar las exigencias concretas de cada día. Su funcionamiento es vital y práctico. Por tanto, si alguien desea aprender a *pensar* como Teresa, necesita desarrollar ciertas actividades como las siguientes.

- *Elegir el foco de atención*
- *Cambio de foco de atención*
- *Cambiar la representación de la realidad*
- *Elegir un diálogo interno constructivo*
- *Pensar creativamente*

3.1 Elegir el foco de atención

En la actualidad somos conscientes de que el *objeto* de nuestra *atención* se convierte, prácticamente, en *lo más importante* para nosotros. Por lo menos en este momento de nuestra vida.

La razón es muy clara. Nuestra mente tiene dimensiones limitadas. Puede recibir solamente 126 unidades de información por segundo.[4] El hecho de escuchar la voz o conversación de una persona se lleva alrededor de 40 unidades de *atención.* Lo cual deja 86 unidades para mirar las expresiones faciales de la persona y para pensar lo que vamos a contestarle enseguida.

La mente humana se parece a la pantalla del televisor. Si éste se llena con la cara del actor principal, ya no tiene espacio para exhibir a otros personajes de la misma película.

Si pones tu atención en una cualidad de otro ser humano, esa virtud se convierte para ti en lo más importante. Pero, si te concentras en el defecto de una persona o en el comportamiento negativo de un ser querido, lógicamente la pantalla de tu mente se llena con la imagen respectiva. En esos momentos, de hecho, *lo más real e importante* para ti es la película del defecto o comportamiento negativo.

---

4. W. Winger and R. Poe, *The Einstein factor.* Rocklin, CA, Prima Publishing, 1996, p. 3.

Cuando decidas dar mayor importancia a hechos positivos o valores de tu preferencia, tendrás que usar tu *libertad*. En tal caso, igual que Teresa de Lisieux, vas a *elegir*, como foco de atención, lo bueno y constructivo que hay en los demás o en las circunstancias.

Teresa nos cuenta que había en su comunidad una hermana que, durante la hora de silenciosa meditación, "se ponía a hacer un extraño ruido, parecido al que se haría frotando dos conchas, una contra otra. Sólo yo lo notaba, pues tengo un oído extremadamente fino (demasiado, a veces)..." [5]

Teresa confiesa que sentía una molestia enorme: "Imposible decirle, Madre, cómo me molestaba aquel ruidito. Sentía unas ganas enormes de volver la cabeza y mirar a la culpable, que seguramente no se daba cuenta de su manía". Al menos podría suplicarle que interrumpiese semejante ruido. Pero le parece más perfecto "sufrir aquello por amor de Dios y no hacer sufrir a la hermana". Por tanto, procura serenarse y de unirse con Dios en la meditación, desentendiéndose de aquella molestia sonora.

"Todo inútil. Me sentía bañada en sudor, y me veía forzada a hacer sencillamente una oración de sufrimiento".

"Pero a la vez que sufría, buscaba la manera de hacerlo sin irritarme, sino con alegría y paz, al menos allá en lo íntimo de mi alma. Trataba de amar aquel ruidito tan desagradable: en vez de procurar no oírlo (lo cual era imposible), concentraba toda mi atención en escucharlo bien, como si se tratase de un concierto maravilloso..." [6]

Es patente que Teresa dispone de esa facultad fundamental para el pensar, que consiste en *elegir el foco de atención*.[7] Cuando no logra poner su atención

---

5. Sta. Teresa de Lisieux, *Manuscrito C* [30v°], en sus *Obras completas*. Burgos, Monte Carmelo, 1996, p. 316.

6. Ib. [30v°], pp. 316-317.

7. J. Rosselló e Mir, *Psicología de la atención*. Madrid, Pirámide, 1998.

donde quiere, entonces despliega su libertad y decide concentrarse en lo que se le impone. De esta manera consigue ser dueña de la situación con libertad.

3.2 Cambio de foco de atención

En el caso anterior, Teresa intentaba *cambiar el foco de su atención.* Sin embargo, "todo inútil", como ella misma afirma. De ahí que, desplegando su flexibilidad, elige ante el ruido una estrategia nueva. Ya la conocemos. Ella la explica: *concentraba toda mi atención en escucharlo bien.*

Cierto, ella menciona otras ocasiones en que sí aprovecha con éxito su capacidad de *cambiar el foco de atención.* De hecho, si no me equivoco, éste es uno de los recursos que emplea, con mayor frecuencia, para lograr su desarrollo humano y, sobre todo, su crecimiento espiritual. Sabe dejar a un lado sus pendientes y quehaceres, para concentrarse en Dios o en Jesús de modo constante. A este respecto, su hermana Celina, que en el convento se llama sor Genoveva, nos cuenta lo siguiente.

> *"Habiéndole preguntado yo si alguna vez perdía la presencia de Dios, me respondió con entera facilidad: 'Oh no, creo de veras que nunca he estado más de tres minutos sin pensar en Dios'. Le manifesté mi sorpresa acerca de la posibilidad de semejante cuidado. Ella me replicó: 'Se piensa espontáneamente en alguien a quien se ama'."* [8]

No sólo cambia el foco de atención para acoger la presencia del Señor, también para concentrarse en sus quehaceres. De esta forma consigue liberarse de afanes o inquietudes que la puedan turbar. Revela a su hermana Paulina, sor Inés:

---

8. Sta. Teresa de Lisieux, *Consigli e ricordi.* Milano, Ancora, 1963, p. 83.

"Necesito tener siempre algo que hacer; de esa manera, no estoy preocupada ni pierdo nunca el tiempo." [9]

Teresa nos ofrece otro ejemplo más claro de lo que significa *cambiar el foco de atención*, con el fin de construir el propio desarrollo humano.

El 18 de abril de 1897 hace una confidencia a su hermana Inés que, a su vez, comenta: "acababa de confiarme ciertas humillaciones muy penosas que le habían infligido algunas hermanas". Enseguida añade Teresa:

"Dios me proporciona así todos los medios para permanecer muy pequeña; y eso es lo que hace falta. Yo estoy siempre contenta. Me las arreglo, aun en medio de la tempestad, para mantenerme en una gran paz interior. Si me hablan de disensiones entre las hermanas, yo procuro no excitarme a mi vez contra ésta o aquélla. Necesito, por ejemplo, sin dejar de escuchar, mirar por la ventana y gozar interiormente de la vista del cielo, de los árboles..." [10]

Aquí hay un detalle genial, *sin dejar de escuchar*, pone el foco de su atención en algo bueno o bello. Sus interlocutoras no pueden sentirse rechazadas. Al mismo tiempo, ella no entra en el juego de una conversación negativa que le puede hacer daño o puede distraerla de su atención al Señor.

Otro tanto podemos hacer nosotros. Ante una persona o situación destructiva, *sin dejar de escuchar*, busquemos como *foco de atención* algo positivo o hermoso como la naturaleza, una obra de arte, un ser querido, un proyecto apasionante, Dios mismo, etcétera.[11]

---

9. Sta. Teresa de Lisieux, *Últimas conversaciones* (18 de mayo de 1897), en sus *Obras completas*, o. c., p. 773.

10. Ib. (18 de abril de 1897), p. 766.

11. La PNL ofrece ejercicios para desarrollar la habilidad de cambiar el foco de atención. Por ejemplo, en A. Robbins, *Despertando al gigante interior*. México, Grijalbo, 1993, pp. 47-57, 193-202.

3.3 Cambiar la representación de la realidad

Supongamos que, no obstante el esfuerzo por cambiar el foco de atención, alguien se siente presa de un recuerdo, hecho o comportamiento de tipo negativo. No logra quitárselo de la mente.[12]

En tal caso recordemos que la realidad no entra directamente en nuestro ser. No. De ninguna manera. Lo que percibimos a través de los sentidos, en especial lo que vemos o lo que nos dicen, tenemos que representarlo.

Las *representaciones mentales* –ver, oír, sentir, oler, gustar– nos permiten hacer *presente* de nuevo, dentro de nosotros, lo que está allí en la realidad externa o en la realidad personal. Mediante los procesos de la sensación hacemos presente el gozo interior, el resplandor del sol, el perfume del campo, el canto de los pájaros, las escenas del Papa celebrando el Jubileo del año 2000...

Como es sabido, el rostro sonriente de un ser querido lo vemos no tanto con los ojos, sino con la parte posterior del cerebro. Si alguien tiene un tumor en esa área de la cabeza, aunque sus ojos estén en perfectas condiciones, no será capaz de leer estas líneas.

Este hecho, científicamente comprobado, abre para cada ser humano un margen amplio de libertad. Lo mismo que alguien ve, escucha, siente, huele o gusta, puede representarlo de diversas maneras.

Un cara larga y hosca puede ser vista o representada de forma que cobre gran relieve: grande, cercana, a todo color y bien iluminada. Con estas características será causa de gran malestar y enojo al

---

12. Entramos ahora en el campo más propio de la PNL. Su primera defición, que aparece como subtítulo en el primer libro oficial de la PNL, se dice que programación neuro-lingüística es "el estudio de la estructura de la experiencia subjetiva". Esta experiencia consiste en tres cosas que estudiamos en Teresa en este capítulo y en los dos siguientes: 1) *Procesos internos* –representaciones y diálogo interno–. 2) *Estado interno* –emociones y sentimientos–. 3) *Conducta externa* –acciones. Cfr R. Dilts, J. Grinder, R. Bandler, L. Cameron-Bandler, J. De Lozier, *Programmazione neurolinguistica*. Roma, Astrolabio, 1982.

que la está viendo. Por el contrario, si en su mirada interior la ve lejos, pequeña, oscura, en blanco y negro, sin movimiento y desenfocada, casi seguramente le resultará inocua e indiferente.

Teresa aprovecha su libertad para elegir su modo de representar las cosas y las personas. En su vida nos ofrece diversos ejemplos de esta habilidad muy bien desarrollada por ella. Por ejemplo, explica a la Madre María de Gonzaga cómo se las arregla para superar una antipatía:

> *"Hay en la comunidad una hermana que tiene el don de desagradarme en todo. Sus modales, sus palabras, su carácter me resultan* sumamente desagradables. *Sin embargo, es una santa religiosa, que debe ser* sumamente agradable *a Dios."* [13]

Ante esta hermana, entre otras cosas, utiliza su capacidad para cambiar los detalles y características de su representación interna. En lugar de hacer un retrato mental que ponga de relieve los rasgos antipáticos de esa hermana, los disminuye. Al mismo tiempo enfatiza sus cualidades, en especial las que Dios conoce, poniéndolas en primer plano, de gran tamaño, a todo color, con mucha luz.

> *"Sabía muy bien que esto le gustaba a Jesús, pues no hay artista a quien no le guste recibir alabanzas por sus obras. Y a Jesús, el Artista de las almas, tiene que gustarle enormemente que no nos detengamos en lo exterior, sino que penetremos en el santuario íntimo que él se ha escogido por morada y admiremos su belleza".* [14]

De esta manera Teresa se vuelve capaz de ofrecer un trato amable a la hermana que, naturalmente le resulta antipática.

---

13. Sta. Teresa de Lisieux, *Manuscrito C* [13vº], p. 290.

14. Ib. [14rº], p. 290.

Las misma libertad para elegir el modo de representar la realidad puede ser utilizada para enfatizar lo positivo, haciendo que arraigue más profundamente en la propia personalidad.

Cuando Teresa se compara con un pajarillo, sabe resaltar simultáneamente su *visión* en la vida y su imagen de Dios. Para ello se vale, como todo ser humano, de las características propias de cada sentido. En lo que se refiere a las características visuales, Teresa acentúa la luz, el tamaño, el color, la distancia, etcétera.

> *"El pajarillo quisiera* volar *hacia ese Sol brillante que encandila sus ojos; quisiera imitar a sus hermanas las águilas, a las que ve elevarse hacia el foco divino de la Santísima Trinidad... Pero, ¡ay!, lo más que puede hacer es* alzar sus alitas, *¡pero eso de volar no está en* su modesto *poder!*
> *¿Qué será de él? ¿Morirá de pena al verse tan impotente...? No, no, el pajarillo ni siquiera se desconsolará. Con audaz abandono, quiere seguir con la mirada fija en su divino Sol. Nada podrá asustarlo, ni el viento ni la lluvia. Y si oscuras nubes llegan a ocultarle el Astro del amor, el pajarillo no cambiará de lugar: sabe que más allá de las nubes su Sol sigue brillando y que su resplandor no puede eclipsarse ni un instante."* [15]

En estos textos Teresa nos revela sus secretos. Nos explica cómo hace para realizar su desarrollo humano. Contando con su Sol eterno, que a veces está cubierto con las nubes de la frialdad o sequedad personales, echa mano de sus representaciones o sentidos interiores para dibujar su experiencia de la realidad, allá en la pantalla de su mente, de un modo que la aliente a seguir adelante, a crecer, a colaborar con la acción de Dios en su vida.

---

15. Teresa de Lisieux, *Manuscrito B* [5r°], p. 265.

3.4 Elegir un diálogo interno constructivo

Otra de las actividades psicológicas que Teresa emplea para acelerar su desarrollo es su *diálogo interno.* Cuando representamos algo o alguien en nuestra mente, solemos hablar con nosotros mismos al respecto. Mediante este diálogo interno que, de ordinario, llamamos *pensar*, realizamos una evaluación de lo que estamos viendo u oyendo. Luego lo clasificamos, tal vez, como bueno o malo, correcto o incorrecto. Al fin, como consecuencia práctica, decidimos qué vamos a hacer con aquello.

Este diálogo interno desempeña un papel mucho más importante que el que solemos atribuirle en la vida cotidiana. En efecto, dicho *diálogo*, en unión con el modo de representar la realidad, determina nuestro estado interno o experiencia. Si tú te dices que la crítica que te han hecho no tiene fundamento y no vale la pena hacerle caso, entonces te quedarás tan tranquilo como antes. Pero si te pones a darle vueltas, acogiéndola como algo injusto que te causa rebeldía, es probable, por no decir seguro, que vas a enojarte y a llenarte de rabia o de resentimiento.

No hay duda: lo que te dices a ti mismo en tu diálogo interno produce un impacto fuerte y penetrante en tu ánimo.

Teresa, de forma genial, se ha percatado muy bien de la trascendencia práctica que posee el *diálogo interno.* De ahí que se esfuerce por tener "siempre pensamientos caritativos".

Una vez llegan al convento unos obreros. Piden que alguna de ellas vaya a abrirles la puerta. Teresa se dispone a hacerlo. En un instante percibe en su compañera el deseo de ir a abrirla. Queriendo dejarle a ella la oportunidad, se alarga deliberadamente en la acción de quitarse el delantal. Por tanto, la otra hermana tiene la ocasión de partir hacia la puerta.

Una hermana la critica: "Ya sabía yo que no eras tú quien iba a ganarse una perla para tu corona, ibas demasiado despacio..."

Enseguida Teresa nos ofrece un ejemplo de *diálogo interno* de tipo *constructivo*, que realiza en su mente:

"Toda la comunidad, a no dudarlo, pensó que yo había actuado siguiendo mi impulso natural. Pero es increíble el bien que una cosa tan insignificante hizo a mi alma y lo comprensiva que me volvió ante las debilidades de las demás. Eso mismo me impide también tener vanidad cuando me juzgan favorablemente, pues razono así: Si mis pequeños actos de virtud los toman por imperfecciones, lo mismo pueden engañarse tomando por virtud lo que sólo es imperfección. Entonces digo con san Pablo: Para mí, lo de menos es que me pida cuentas un tribunal humano; ni siquiera yo me pido cuentas. Mi juez es el Señor. Por eso, para que el juicio del Señor me sea favorable, o, mejor, simplemente para no ser juzgada, quiero tener siempre pensamientos caritativos, pues Jesús nos dijo: No juzguéis, y no os juzgarán." [16]

Teresa, con su propio ejemplo, nos enseña que podemos razonar de dos maneras: *constructiva* y *destructiva*. Esta última nos lleva a conclusiones destructivas o negativas. La otra, la forma *constructiva* de dialogar interiormente con uno mismo, consigue generar "siempre pensamientos caritativos".

3.5 Pensar creativamente

Una modalidad del pensar constructivo consiste en lo que la literatura actual denomina el *pensar creativo*. Algunos dirían sencillamente *pensar*.[17] En este caso utiliza el diálogo interno para profundizar sobre un hecho. También se piensa al discurrir con una serie de pensamientos de forma que se pueda aprehender la realidad en sus conexiones y, al mismo tiempo, en su unidad total.

---

16. Sta. Teresa de Lisieux, *Manuscrito C* [13rº-13vº], p. 289.

17. PNL se presenta también como una epistemología que nos enseña a pensar e, incluso, a pensar sobre el pensar. Cfr R. B. Dilts, T. A. Epstein, *Aprendizaje dinámico con PNL*. Barcelona, Urano, 1997. J. Yeager, *Thinking about thinking*. Cupertino, CA, Meta Publications, 1985.

Pues bien, Teresa desarrolla la habilidad de *pensar* desde muy pequeña. Cuando era niña y está en la abadía de las benedictinas como colegiala, una maestra le pregunta qué hace los días libres, cuando se halla sola.

> *"Yo le contesté que me metía en un espacio vacío que había detrás de mi cama y que podía cerrar fácilmente con la cortina, y que allí 'pensaba'.*
> *–¿Y en qué piensas?, me dijo.*
> *–Pienso en Dios, en la vida..., en la* ETERNIDAD, *bueno,* pienso.*"* [18]

Una aplicación práctica del *pensar*, tal vez una de las más características, consiste en buscar posibilidades y alternativas. A través de este proceso se llega a la *innovación* con nuevas ideas, a la *invención* de soluciones, métodos y productos, al *descubrimiento* de datos y horizontes desconocidos.[19] De hecho, Teresa realiza "inventos" de tipo poético, dramático y, sobre todo, espiritual.[20]

En el campo espiritual, su mayor invención consiste en su *camino de la infancia espiritual.* Cuenta ella misma cómo se puso a *pensar* hasta descubrir ese *caminito:*

---

18. Sta. Teresa de Lisieux, *Manuscrito A* [33v°], p. 141.

19. La PNL, en las investigaciones de Robert Dilts, distingue tres momentos en el proceso creativo: 1) *Innovación* ("soñador"). 2) *Invención* ("realista"). 3) *Descubrimiento* ("crítico"). En Teresa encontramos estos tres momentos muy claros. Se comporta como una *soñadora*, produce nuevas ideas. Es una *realista*, ejecuta obras originales. Se comporta como una *crítica*, introduciendo observaciones para la mejoría y perfección no sólo de sus obras, sino de su propio comportamiento y del ajeno cuando tiene la obligación de hacerlo. Cfr R. B. Dilts and T. Epstein, *Tools for dreamers.* Cupertino, CA, Meta Publications, 1991. L. J. González, *Ser creativo.* Buenos Aires, Lumen, 1999, pp. 39-155. Allí hay sugerencias prácticas para imitar a Teresa en sus pensar creativo.

20. Se fija en la genialidad de Teresa: J. Guitton, *Le génie de Thérèse de Lisieux.* Paris, Éditions de l'Emmanuel, 1995.

"Quiero buscar una forma de ir al cielo por un caminito muy recto y muy corto, por un caminito totalmente nuevo.
Estamos en un siglo de inventos. Ahora no hay que tomarse ya el trabajo de subir los peldaños de una escalera: en las casas de los ricos, un ascensor la suple ventajosamente.
Yo quisiera también encontrar un ascensor para elevarme hasta Jesús, pues soy demasiado pequeña para subir la dura escalera de la perfección. Entonces busqué en los Libros Sagrados algún indicio del ascensor, objeto de mi deseo, y leí estas palabras salidas de la boca de la Sabiduría eterna: El que sea pequeñito que venga a mí.
Y entonces fui adivinando que había encontrado lo que buscaba. Y queriendo saber, Dios mío, lo que harías con el pequeñito que responde a tu llamada, continué mi búsqueda, y he aquí lo que encontré: Como una madre acaricia a su hijo, así os consolaré yo; os llevaré en mis brazos y sobre mis rodillas os meceré. Nunca palabras más tiernas ni más melodiosas alegraron mi alma. ¡El ascensor que ha de elevarme hasta el cielo son tus brazos, Jesús! Y para eso no necesito crecer; al contrario, tengo que seguir siendo pequeña, tengo que empequeñecerme más y más." [21]

Cuando realiza sus descubrimientos e invenciones, Teresa no se adjudica los derechos de autor. No. Deja que otros se los apropien con entera libertad:

"Si alguna vez se me ocurre pensar y decir algo que les gusta a mis hermanas, me parece completamente natural que se apropien de ello como de un bien propio de ellas. Ese pensamiento pertenece al Espíritu Santo y no a mí, pues san Pablo dice que, sin ese Espíritu de

---

21. Sta. Teresa de Lisieux, *Manuscrito C* [2vº y 3rº], p. 274.

amor, no podemos llamar 'Padre' a nuestro Padre que está en el cielo. El es, pues, muy libre de servirse de mí para comunicar a un alma un buen pensamiento. Si yo creyera que ese pensamiento me pertenece, me parecería al 'asno que llevaba las reliquias', que pensaba que los homenajes tributados a los santos iban dirigidos a él." [22]

La búsqueda de *un caminito totalmente nuevo* supone en Teresa, igual que en todo ser humano, una pregunta previa: "¿Cuál podría ser un *caminito muy recto y muy corto* para ir al cielo?"

Hacerse *preguntas* significa desafiar el propio cerebro para que encuentre las respuestas. El mismo Jesús utiliza este método para *pensar creativamente*. En un momento se pregunta: "¿Con qué compararemos el reino de Dios?, ¿con qué parábola lo explicaremos? Enseguida obtiene de su cerebro una respuesta *creativa*: "Con una semilla de mostaza..." (Mc 4,30-31).

Preguntar significa buscar o investigar para descubrir respuestas nuevas y creativas.

Teresa, a lo largo de su vida, se demuestra dotada de un vivo espíritu de investigación y de búsqueda. Por ejemplo, después de descubrir que, para dejarse llevar en los brazos de Jesús necesita ser como un niño pequeño, pregunta todavía: "¿pero cómo demostrará él su amor, si es que el amor se demuestra con obras?". [23]

Más adelante, cuando se siente insatisfecha con la vocación de carmelita que valora muchísimo y no dejaría por nada, se pregunta, con su característico afán de investigación, cuál puede ser su misión personal: "Abrí las cartas de san Pablo con el fin de buscar una respuesta". [24]

---

22. Ib. [19rº-19vº], p. 299.

23. Sta. Teresa de Lisieux, *Manuscrito B* [4rº], p. 263.

24. Ib. [3rº], p. 260.

Así, con el método de hacer preguntas, ampliamente difundido entre los científicos contemporáneos, Teresa descubre soluciones que, al mismo tiempo, pueden ser inspiraciones del Espíritu. Los dos trabajan acordes, el ingenio humano creado por Dios y el Espíritu de Jesús.

En resumen, Teresa nos alienta a pensar, a darnos tiempos para pensar y a pensar creativamente.

4. LIBERTAD EMOCIONAL

Teresa de Lisieux, consigue su desarrollo humano mediante la habilidad para pensar, pero sobre todo usando su capacidad de elegir, que le permite ejercer con eficacia su libertad emocional. Sabe ser emocionalmente libre de modo tan extraordinario, que si hubiese vivido en este tiempo, se dudaría si alguien la ha entrenado en el aprovechamiento de la psicología contemporánea, sobre todo, de su última corriente que es la PNL.

Durante la época de la segunda Guerra Mundial, confinado durante cuatro años en un campo de concentración nazi, el Dr. Víctor E. Frankl ha redescubierto la libertad interior que todos los seres humanos poseemos. Allí descubrió el Dr. Frankl que los nazis podían privarlo de todas las libertades, excepto de una: la interior.

Esta libertad interior, de acuerdo a su experiencia en el campo de concentración, consiste en ser libre cada quien para elegir la actitud o sentimiento con que quiere reaccionar o vivir una situación que no puede cambiar.

A esta clase de libertad se refiere el presente capítulo, a la libertad emocional. Gracias a ella, cada uno de nosotros, igual que Teresa, es libre para elegir los sentimientos con que desea enfrentar a una persona o grupo, lo mismo que una experiencia o situación.

Teresa, a partir de la gracia de Navidad, despliega toda su libertad y, apoyada por el Señor, decide dejar su inmadurez psicológica para convertirse en una mujer. Así, a fuerza de ingenio, realismo y eficiencia, toma sus emociones y sentimientos en manos de la libertad personal.

En la PNL, a la luz de las investigaciones neurológicas de nuestro tiempo, y en base a su experiencia en el campo del desarrollo humano, se sostiene: "Si alguien puede, tú puedes".[1] Por tanto, cualquier persona puede conquistar la libertad emocional de Teresa, si adopta sus convicciones, estrategias, decisiones y conductas.[2]

Consideremos algunas de las conductas y estrategias de Teresa, de modo que sepamos cómo hacer para modelar en nuestra vida su libertad emocional.

· Opción por un destino emocional
· Elección de las respuestas emocionales
· Cambio de sentimientos
· Reencuadre: Cambio de significado

4.1 Opción por un destino emocional

La primera lección que Teresa nos ofrece, para que aprendamos la libertad emocional, consiste en decidirnos por un destino emocional.[3]

¿Qué significa esto de destino emocional? ¿En qué consiste? ¿Cuál es su utilidad y, cómo se opta por él?

---

1. Éste es de hecho el título de un libro. Recordemos que la PNL nace del modelaje o imitación de Perls, Satir y Milton Erickson. Por sentido común o con las técnicas de la PNL podemos modelar o imitar la libertad emocional de Teresa de Lisieux. Cfr R. B. Dilts, *Modeling with NLP.* Capitola, CA, Meta Publicactions, 1998. C. Fonseca, *Si alguien puede, tú puedes,* México, Pax México, 1998. D. Gordon, *Modelling with NLP.* Lakewood, CO, NLP Comprehensive, 1998.

2. Cfr L. J. González, *Liberación personal.* Monterrey, México, Font, 1998.

3. Profundiza este asunto: A. Robbins, *Despertando al gigante interior.* México, Grijalbo, 1993, pp. 523- 525.

Recordemos que, en el mundo de los transportes, en especial en los viajes aéreos, se habla de destino. Se refiere a la meta hacia la cual se dirige un avión o cualquier otro transporte. Un avión que despega desde Roma puede tener como destino París, Madrid, Londres, etcétera.

También las personas podemos tener diversos destinos u objetivos. Entre estos destaca el destino emocional. Tal como es de suponer, el destino emocional consiste en tener un estado de ánimo como objetivo, de modo que, pase lo que pase, podamos vivir las emociones o sentimientos que corresponden a dicho objetivo.

Cuando alguien carece de un destino emocional, huelga decirlo, se convierte en un ser sin rumbo. Se parece a una de las hojas secas que caen de los árboles en el otoño. El agua y el viento jugarán con ella y la traerán de aquí para allá, de acuerdo a sus caprichos. Los vehículos, los animales y los transeúntes la pueden aplastar y destruir.

La persona carente de un destino emocional, lo mismo que una boya a la deriva, será víctima del oleaje y tormentas de la vida. Los vientos cambiantes de las circunstancias, de las conductas y decisiones ajenas le van a imponer una dirección y un destino.

Teresa, después de su opción navideña por la adultez, deja de ser como una hoja seca. Tres años más tarde, cuando tiene ya 17 años, ella establece con claridad cuáles sentimientos van a regir su vida. En otras palabras, opta por un destino emocional.

El día de su profesión, el 8 de septiembre de 1890, cuando pronuncia sus votos de pobreza, obediencia y castidad, escribe a Jesús una nota que guarda en su pecho. Se trata de un trozo de apenas veinte líneas. De éstas se reserva cinco exclusivamente para establecer su destino emocional.

Escribe:

"Que las cosas de la tierra no lleguen nunca a turbar mi alma y que nada turbe mi paz. Jesús, no pido más que la paz, y también el

amor, un amor infinito y sin más fronteras que tú mismo, un amor cuyo centro no sea yo sino tú, Jesús mío."[4]

Los sentimientos de paz y amor constituyen, pues, el destino emocional de Teresa de Lisieux. Esto es lo que se deduce de este texto. Sin embargo, hay otros momentos en que ella sugiere que también la alegría forma parte de su destino emocional.

Los datos que están a favor de esta hipótesis se hallan en diversas expresiones que salen de su pluma o de su boca.

–Sé encontrar siempre la forma de ser feliz.[5]
–Yo estoy siempre contenta.[6]
–Hay tantas almas en la tierra
que van, en vano, en busca de la dicha.
No es ése el caso mío:
yo llevo la alegría dentro del corazón.
No es una flor efímera, la tengo para siempre,
cada día me manda al alma su sonrisa,
lo mismo que una rosa de eterna primavera.[7]

---

4. Sta. Teresa de Lisieux, *Billete de su profesión* (8-IX-1890), en sus *Obras completas*. Burgos, Monte Carmelo, p. 733.

5. Sta. Teresa de Lisieux, *Manuscrito A* [89r°], en sus *Obras completas*, o. c. p. 238.

6. Sta. Teresa de Lisieux, *Últimas conversaciones* (18.4.1), en sus *Obras completas*, o. c., p. 766.

7 Sta. Teresa de Lisieux, *Poesías* (45), en sus *Obras completas*, o. c. pp. 702-703. Vale la pena leer la poesía completa. Así el lector podrá enterarse de que Teresa, tal como explica la PNL, tenía varias "reglas" o criterios mentales que eran fáciles de realizarse, de manera que se despertara en ella la alegría. Si tú te preguntas "¿qué tiene que pasarme para sentirme alegre?", obtendrás como respuesta una o más *reglas* que determinan, en última instancia, que tú puedas sentir alegría. Cuantas más sencillas y abundantes sean tus *reglas* para la alegría u otra emoción, tanto más fácil será que la experimentes. Cfr A. Robbins, *Despertando al gigante interior*. México, Grijalbo, 1993, pp. 441-472.

La paz, el amor y la alegría, que san Pablo llama "frutos del Espíritu" (Gál 5, 22), constituyen en Teresa de Lisieux un verdadero destino emocional, porque no se quedan en la lejanía de la mera posibilidad. No. De ninguna manera. Teresa busca y mantiene la paz, la alegría y el amor cada día. Ella utiliza el adverbio *siempre* para calificar la constancia de esos tres sentimientos en ella. Y por lo mismo representan un auténtico destino. Como puerto deseado, orientan la embarcación de su ánimo, cuyo timón, la libertad emocional, sabe manejar ella con maestría ejemplar.[8]

4.2 Elección de las respuestas emocionales

Porque tiene claro su *destino emocional*, Teresa se comporta como una persona madura o autorrealizada. Ella tiene las riendas de este potro casi salvaje, que es la emotividad.

Muchos seres humanos, sin embargo, renuncian a su dignidad de *personas*. Arrastrados por los parámetros culturales, de modo inconsciente, se consideran como títeres o marionetas cuyos hilos se encuentran en manos de los demás o de las circunstancias.

Pienso ahora en un hábito humano que se puede encontrar en los habitantes de los grandes continentes de este planeta. Me refiero a una tendencia tan espontánea como si fuera natural: echar la culpa a los demás de los propios sentimientos. Entonces emitimos afirmaciones como éstas: "Estoy triste, porque me traicionó mi amigo". "Me siento muy enojado, porque mi maestro me humilló en público". "Estoy feliz, porque finalmente ha reaccionado mi hijo". "Tengo alegría, porque ella me dio esperanzas", etcétera.

8. Al concluir este punto surge espontánea la pregunta: ¿Cuáles sentimientos constituyen mi destino emocional? ¿Cómo puedo hacer para visualizar cada mañana y durante el día mi destino emocional?

Hablar de este modo significa suponer que los demás o las circunstancias tienen en sus manos los hilos del propio corazón. Como si fuésemos marionetas.[9]

En realidad, tal como descubrieron los filósofos estoicos, hace más de 20 siglos, los sentimientos son un producto de nuestro pensamiento. Más en concreto, son el resultado de la *interpretación* que hacemos de la realidad por medio de los *pensamientos*. Se puede sostener que "sentimos según pensamos". Si tienes *pensamientos negativos* acerca de una persona o situación, vas a engendrar en tu ánimo *sentimientos negativos*: odio, ira, tristeza, ansiedad, etcétera. Pero si elaboras *pensamientos positivos*, obviamente tu corazón florecerá con *sentimientos positivos:* amor, alegría, paz, esperanza, etcétera.[10]

Teresa, después de la gracia de Navidad sabe responsabilizarse de sus propios sentimientos. Sabe que están en manos de su propia libertad. No atribuye sus emociones a su padre, hermanas, familiares, monjas de su comunidad o amigos. Ella se reconoce como persona, se acepta y actúa en consecuencia. Por tanto, aprovecha su libertad para elegir sus respuestas emocionales.

---

9. La PNL, que inicialmente se presenta como una búsqueda de precisión en el lenguaje, elaborando así lo que Grinder y Bandler denominan el "metamodelo", habla de una distorsión llamada "causa-efecto". Es exactamente lo que los estoicos habían detectado: el vicio de echar la culpa a los demás de nuestros sentimientos. Se puede demostrar semejante *distorsión* con la pegunta: "En concreto, ¿cómo causa ella o él ese sentimiento tuyo?" Cfr R. Bandler & J. Grinder. *The structure of magic.* Palo Alto, CA, Science and Behavior Books, 1975. L. J. González, *Psicología de la excelencia personal.* Monterrey, México, Font, 1994, pp. 118-122.

10. San Juan de la Cruz, después de Jesús y la Sagrada Escritura, el principal maestro espiritual de Teresa de Lisieux, aprovecha el descubrimiento de los estoicos acerca del funcionamiento humano. Entonces nos propone, para conservar la paz, que cambiemos el foco de atención evitando pensar en lo que puede turbar la propia paz. Escribe: "Y de esto cada momento sacamos experiencia, pues vemos que, cada vez que el alma se pone a pensar en alguna cosa, queda movida y alterada, o en poco o en mucho, acerca de aquella cosa, según es su aprehensión: si pesada y molesta, saca tristeza u odio, etc.; si agradable, saca apetito y gozo, etc." En su libro: *Subida al Monte Carmelo* 5,2, en sus *Obras completas.* Madrid, BAC, 1960, p. 563.

Ante la hermana de comunidad que le desagrada, Teresa deja de lado su "antipatía natural" y opta por el amor. Más en concreto, ella elige el amor cristiano. Este, como es sabido, no consiste en efluvios de ternura o simpatía. No. El amor, sobre todo el amor enseñado por Cristo, nace de la libertad, como una decisión de procurar lo que realmente es bueno para la persona amada. Los sentimientos de afecto y ternura que acompañan a ciertas formas de amor, resultan secundarios. Lo esencial del amor es el bien efectivo que proporciona al prójimo, a sí mismo o a la naturaleza, independientemente de los propios sentimientos. Esto es lo que hace Teresa.

> *"Para no ceder a la antipatía natural que experimentaba, me dije a mí misma que la caridad no debía consistir en simples sentimientos, sino en obras, y me dediqué a portarme con esta hermana como lo hubiera hecho con la persona a quien más quiero. Cada vez que la encontraba, pedía a Dios por ella, ofreciéndole todas sus virtudes y méritos."*[11]

Teresa, pasando por encima de su antipatía, *elige* un amor preñado de hechos: *servicios, sonrisas, cambio de conversación*, etcétera. Así, al elegir ella misma sus *respuestas emocionales*, no sólo ejercita su *libertad emocional*, sino que conserva el rumbo que la conduce hacia su *destino emocional*: amor, alegría, paz. Ella misma, refiriéndose a la misma hermana, agrega:

> *"No me conformaba con rezar mucho por esta hermana que era para mí un motivo de tanta lucha. Trataba de prestarle todos los servicios que podía; y cuando sentía la tentación de contestarle de manera desagradable, me limitaba a dirigirle la más encantadora de mis sonrisas y*

11. Sta. Teresa de Lisieux, *Manuscrito C* [13v°-14r°], p. 290.

procuraba cambiar de conversación, pues, como dice la Imitación: Mejor es dejar a cada uno con su idea que pararse a contestar." [12]

En fin, pensando en situaciones de este tipo, revela de qué modo consigue aprovechar su libertad emocional para lograr la *paz* propia de su destino emocional.

> *"¡Y qué paz inunda al alma cuando se eleva por encima de los sentimientos de la naturaleza...!"* [13]

Cierto, Teresa ha sabido encontrar en Jesús un maestro de *libertad emocional* y la fuente del *agua viva* que la fortalece en su esfuerzo por elegir ella misma sus respuestas emocionales. A este respecto admite:

> *"¡Qué contrarias a los sentimientos de la naturaleza son las enseñanzas de Jesús!*
> *Sin la ayuda de su gracia, no sólo no podríamos ponerlas por obra, sino ni siquiera comprenderlas."* [14]

4.3 Cambio de sentimientos

Tal como sugiere Teresa, nuestra naturaleza tiene límites. Necesita la ayuda de la gracia. Pero con frecuencia no sabemos acogerla. Entonces caemos en sentimientos no deseados.

No obstante el esfuerzo por caminar hacia el propio *destino emocional* y por *elegir la propia respuesta emocional*, nos sorprendemos experimentando una emoción o sentimiento que no hemos elegido.

En la situación apenas mencionada, Teresa vive esta experiencia. Siente antipatía respecto a aquella hermana.

---

12. Ib. [14r°], p. 290.
13. Ib. [16v°], p. 294.
14. Ib. [18v°], p. 297.

Este hecho es habitual en los seres humanos. Está presente incluso en la vida de quienes han establecido su *destino emocional* y lo persiguen con entusiasmo.

Surge entonces la pregunta espontánea: ¿cómo podemos cambiar un sentimiento que no queremos vivir?

El *cuerpo* representa uno de los caminos más efectivos para *cambiar los sentimientos.* El movimiento, el ejercicio físico, la respiración profunda y lenta, la relajación muscular, la dieta natural, el descanso, el sueño, etcétera, representan formas naturales y saludables para cambiar el propio estado de ánimo.

Estos medios se oponen, como es obvio, a los que el mundo contemporáneo nos propone: comida inútil, bebidas, dulces, alcohol, cigarrillos, drogas, sexo, etcétera.

Teresa, lejos de pensar en el uso de estos recursos dañinos, prefiere utilizar su cuerpo directamente para cambiar su estado de ánimo. Recordemos lo que hizo para acoger la gracia de Navidad:

> *"Reprimiendo las lágrimas, bajé rápidamente la escalera, y conteniendo los latidos del corazón, cogí los zapatos y, poniéndolos delante de papá, fui sacando* alegremente *todos los regalos..."*

Además de ciertos gestos que parecen represivos, hay en Teresa ciertas acciones que implican movimiento, esto es, una especie de ejercicio físico: *bajar rápidamente la escalera,* ir *sacando todos los regalos...*

Resulta aquí muy importante, igual que en los fumadores, el *cambio de expresión facial.* Se piensa ahora, a la luz de la neurología y de la fisiología, que lo que da satisfacción al fumador, más que el humo del tabaco y la nicotina, es el modo profundo de respirar mientras exhalan el humo y, sobre todo, el hecho de poner una cara de honda satisfacción.

Teresa califica con el adverbio *alegremente* el gesto de ir *sacando todos los regalos.* Este detalle sugiere que cambió su *expresión facial.* Lo cual lanza una tormenta de estímulos al cerebro, pues éste trabaja, en su mayor parte, para el funcionamiento del rostro, tal como sugiere la neurología.

Otro camino para modificar un sentimiento que está palpitando en nuestro ánimo consiste en el *cambio de foco de atención*. Si alguien se pone a pensar o a contemplar lo malo y lo negativo de este mundo, sin duda alguna acabará experimentando sentimientos negativos. Pero, como ya antes he sugerido, la persona puede *escoger* un *foco de atención positivo*, para concentrar en él toda su *atención*. De esta manera, conseguirá *cambiar su estado de ánimo*.

Teresa practica este método con la misma hermana que le resulta antipática.

> *"Un día, en la recreación, me dijo con aire muy satisfecho más o menos estas palabras: '¿Querría decirme, hermana Teresa del Niño Jesús, qué es lo que la atrae tanto en mí? Siempre que me mira la veo sonreír' ¡Ay! Lo que me atraía era Jesús escondido en el fondo de su alma... Jesús, que hace dulce hasta lo más amargo... Le respondí que sonreía porque me alegraba verla (por supuesto que no añadí que era bajo un punto de vista espiritual)."*[15]

Cierto, al convertir a Jesús en el *foco de su atención*, Teresa consigue cambiar sus sentimientos. En lugar de la antipatía experimenta el gozo de encontrarse con su amado Jesús, presente en el alma de aquella hermana.

Otra forma para cambiar el estado interior consiste en modificar el *diálogo interno*. Ya hemos recordado que los seres humanos *sentimos según pensamos*.

Ante la anciana hermana llamada san Pedro, Teresa siente *temor* de acercársele. La hermana exige atenciones y cuidados francamente exagerados y contradictorios. "Sin embargo –escribe Teresa–, no que-

---

15. Ib. [14r°], pp. 290-291.

ría perder tan hermosa ocasión de practicar la caridad, recordando lo que Jesús había dicho: Lo que hagáis al más pequeño de los míos, a mí me lo hacéis".[16]

Resulta obvio, en este texto, el cambio de diálogo interno. En lugar de pensar en lo difícil que resulta atender a la hermana san Pedro, evocas las palabras de Jesús y se dice a sí misma que no quiere *perder una ocasión tan hermosa de practicar la caridad.*

Otro camino para *cambiar los sentimientos*, que ya antes he insinuado, puede ser el *cambio en el modo de representar* los hechos y las personas. Teresa toma conciencia de este recurso al final de su vida. Recuerda, por ejemplo, que solía hacer grandes en la pantalla de su mente los problemas o dificultades de la vida. Ahora, a distancia de varios años, ve aquellas situaciones como realidades de poca monta o de tamaño muy pequeño.

> *"¡Ay!, cuando vuelvo con el pensamiento al tiempo de mi noviciado, me doy cuenta de lo imperfecta que era... Me angustiaba por tan poca cosa, que ahora me río de ello.*
> *¡Qué bueno es el Señor, que hizo crecer mi alma y le dio alas...!"* [17]

No hace falta esperar a que pasen los años para reírse de las cosas que nos angustian o causan estrés. En el mismo momento en que enfrentamos hechos difíciles o desagradables, podemos cambiar el modo de representarlos en la mente.

Ahora mismo, aprovechando de nuevo la libertad de representar las cosas de diversas maneras, puedes relativizar algún problema actual. Evoca una de las imágenes más vivas que ese problema dibuja en tu mente. Luego, cambia el tamaño, color, iluminación, distancia, movimiento y claridad de dicha imagen. Hazla pequeña. Oscurécela. Déjala en blanco y negro. Aléjala. Desenfócala y quítale movimiento.

---

16. Ib. [29r°], p. 314.

17. Ib. [14v°], p. 292.

Hay otro recurso para *cambiar los sentimientos*: hacer uso de la *videoteca* que es la propia memoria. Al recordar experiencias felices resulta espontáneo y natural el fenómeno de revivir los sentimientos de gozo y alegría que estaban allí presentes. Al evocar la luminosidad de tales momentos se puede disipar la oscuridad de los sentimientos de tristeza.

Teresa conoce esta posibilidad que se halla al alcance de todo ser humano. Cuando contempla la belleza de los campos verdes y de las montañas nevadas de Suiza, prepara su videoteca para tiempos futuros, cuando viva encerrada en la clausura del Carmelo.

> *"Más tarde, en la hora de la prueba, cuando prisionera en el Carmelo, no pueda contemplar más que una esquinita del cielo estrellado, me acordaré de lo que estoy viendo hoy; y ese pensamiento me dará valor; y al ver la grandeza y el poder de Dios –el único a quien quiero amar–, olvidaré fácilmente mis pobres y mezquinos intereses."* [18]

Toda persona humana puede disponer de su memoria como de una videoteca maravillosa. Allí se encuentran archivadas películas tristes, enojosas, deprimentes, desesperantes. Pero también las hay gozosas, tranquilizantes, alentadoras, entusiasmantes. Cada quien es libre de escoger cuáles quiere repasar en su mente. Pero, si alguien decide, como Teresa, que quiere cambiar libremente sus sentimientos, entonces le conviene recordar, revivir y disfrutar las experiencias que den frutos positivos, de acuerdo al plan de Dios.

4.4 Reencuadre: cambio de significado

Supongamos que una persona le pregunte a Teresa: "¿Qué harías tú si, a pesar de buscar tu destino emocional o de querer elegir libremente tus sentimientos, te sorprendes viviendo una emoción o experiencia que no es positiva?".

---

18. Sta. Teresa de Lisieux. *Manuscrito A* [58r°], p. 193.

Le respondería probablemente que puede usar el método que ella, Teresa, suele utilizar ante situaciones o experiencias negativas: el *reencuadre.*

Reencuadrar o reenmarcar, de suyo, significa cambiar el *marco* o el *cuadro* en que deseamos enmarcar una situación, experiencia o sentimiento.

En el mundo técnico de la PNL, el *reencuadre* consiste en *cambiar el significado de una emoción, experiencia o situación, descubriendo su valor o bondad.*[19]

Para *reenmarcar* o descubrir lo que hay de *bueno* o *positivo* en una cosa, circunstancia, problema o experiencia de tipo negativo, se emplean preguntas como: *¿Qué hay de bueno en esto?* Ante un problema cabe interrogarse: *¿Qué hay de bueno en este problema? ¿Qué puedo aprender de todo esto?*

Teresa demuestra una capacidad extraordinaria y sorprendente para *reenmarcar* lo negativo. En sus *escritos* nos ofrece varios ejemplos. Con sencillez deja relucir su habilidad para dar un significado positivo a lo que, objetivamente, podría ser visto solamente desde el lado negativo.

> *"Verdaderamente, estoy lejos de ser santa, y nada lo prueba mejor que lo que acabo de decir. En vez de alegrarme de mi sequedad, debería atribuirla a mi falta de fervor y fidelidad. Debería entristecerme por dormirme (¡después de siete años!) en la oración y durante la acción de gracias. Pues bien, no me entristezco... Pienso que los niños agradan tanto a sus padres mientras duermen como cuando están despiertos..."*[20]

---

19. Cfr R. Bandler and J. Grinder, *Reframing.* Moab, Utah, Real People Press, 1982. L. J. González, *Psicología de la excelencia personal.* Monterrey, México, Font, 1994, pp. 129-140. J. O'Connor and J. Seymour, *Introducing neuro-linguistic programming.* London, Harper Collins, 1990, pp. 131-138. A. Robbins, *Poder sin límites.* México, Grijalbo, 1988, pp. 275-296.

20. Sta. Teresa de Lesieux, *Manuscrito A* [75v°], pp. 229-230.

Aquí tenemos un ejemplo de *reencuadre*. Teresa sabe conseguir su *destino emocional*, en este caso la *alegría*, al usar su capacidad para dar un significado positivo a lo que, para mucha gente, sería negativo.

A propósito de la *acción de gracias* al recibir a Jesús en la Eucaristía, Teresa nos ofrece otro ejemplo luminoso acerca de su capacidad de *reenmarcar*.

Durante la epidemia de gripe ya mencionada, cuando varias hermanas mueren y sólo Teresa y otras dos llevan toda la carga de los entierros y de la atención a las enfermas, el sacerdote decide darles la comunión todos los días. Entonces comenta Teresa:

> *"Y cuando Jesús baja a mi corazón, me parece que está contento de verse tan bien recibido, y yo estoy contenta también.*
> *Pero esto no impide que las distracciones y el sueño vengan a visitarme. Pero al terminar la acción de gracias y ver que la he hecho tan mal, tomo la resolución de vivir el día en una continua acción de gracias...*
> *Ya ves, Madre querida, que Dios está muy lejos de llevarme por el camino del temor. Sé encontrar siempre la forma de ser feliz y de aprovecharme de mis miserias.*
> *Y estoy segura de que eso no le disgusta a Jesús, pues él mismo parece animarme a seguir por ese camino..."*[21]

En este texto tenemos claro el *cambio de significado* para el hecho de distraerse o dormirse mientras tiene a Jesús Eucaristía dentro de sí. Transforma sus *limitaciones* en *oportunidades*. En lugar de atormentarse con culpas que la lleven a la angustia, al desaliento o a la tristeza, convierte sus limitaciones en una oportunidad para amar a Jesús a lo largo de su jornada. Al mismo tiempo aprovecha para *aprender* algo nuevo o para *aprovecharse de sus miserias*.

---

21. Ib. [80r°], p. 238.

Aquí no habla de *gracia*, sino que la supone en la *naturaleza humana* creada por Dios con la capacidad de *reenmarcar* las dificultades, limitaciones e imperfecciones. Mediante el empleo del *reencuadre*, seguramente de modo constante, desarrolla la habilidad de *ver siempre el lado bueno de las cosas*. Ella misma lo dice:

> *"Siempre miro el lado bueno de las cosas. Hay quienes se lo toman todo de la manera que más les hace sufrir. A mí me ocurre todo lo contrario. Cuando no tengo más que el sufrimiento puro, cuando el cielo se vuelve tan negro que no veo ni un solo claro entre las nubes, pues bien, hago de ello mi alegría... ¡Me pavoneo! Como en las humillaciones de papá, que hacen que me siente más gloriosa que una reina."*[22]

Padeciendo su padre una enfermedad degenerativa del cerebro, tiene conductas propias de la demencia senil o algo por el estilo. Lo cual, como es de suponer, resultaba muy penoso para Teresa y sus hermanas. Pero Teresa sabe *reenmarcar* semejante situación, de forma que no le quite su habitual alegría ni la paz.[23]

Concluyo enfatizando el desarrollo humano tan notable que Teresa ha conseguido, no obstante su infancia psicológicamente gris. Ha conquistado una verdadera *libertad emocional*. Junto con Jesús, maestro de libertad, ha utilizado varias técnicas para conquistarla. En primer lugar, ha optado por un *destino emocional* muy concreto. Guiada por éste, sabe *elegir sus sentimientos y cambiarlos*. Se sirve, muy eficazmente, de su innata capacidad humana para *reencuadrar* lo negativo y desagradable.

---

22. Sta. Teresa de Lisieux, *Últimas conversaciones* (27.5.6), en sus *Obras completas*, o. c., p. 779.

23. Otros ejemplos de *reencuadre*: Sta. Teresa de Lisieux, *Manuscrito C* [28r°-28v°], p. 313. También: *Últimas conversaciones* (3.7.2), pp. 796-797.

Me parece que la *fe*, en realidad, ofrece un entrenamiento en la habilidad para *reenmarcar*. Gracias a esa actitud teologal de *fe*, es posible advertir y aceptar que, de verdad, “todo concurre al bien de los que aman a Dios” (Rom 8, 28).

5. COMPORTAMIENTO EXCELENTE

Teresa de Lisieux demuestra su desarrollo humano en la habilidad que posee para usar *creativamente su pensamiento* y elegir *libremente sus sentimientos*. Por tanto, no suena extraño que su *comportamiento* resulte de veras *excelente.*

No me refiero tanto a la bondad de sus conductas o acciones, sino sobre todo a la *eficacia* de las mismas. Sabe lograr, contando con la gracia del Espíritu, lo que se propone como meta.

Para explicar este tema voy a detenerme en algunos puntos que en Teresa son admirables. Si alguien los reproduce en su propio comportamiento, podrá ser eficaz y excelente en la acción, igual que ella.

- *Concretar la meta*
- *Seguir un plan de acción*
- *Eficiencia en la acción*

5.1 Concretar la meta

El primer paso hacia una *acción excelente* consiste en precisar con toda claridad *lo que realmente se quiere lograr*. Preguntarse acerca de los *resultados deseados* constituye uno de los secretos de los grandes hombres y de las grandes mujeres.

La habilidad de Teresa para saber qué es lo que realmente quiere aparece excepcional. Parece que vive en nuestros días y que ha sido entrenada en el mundo de las empresas o de la psicología contemporánea.

Hay un dato muy claro al respecto. Con frecuencia utiliza la palabra *meta*, exactamente como la empleamos en nuestro tiempo. Sólo en sus *Manuscritos autobiográficos* he podido contar doce veces el empleo de la palabra francesa "*but*", que quiere decir *meta* u *objetivo*.

Porque ella es capaz de precisar exactamente lo que quiere, consigue ser eficiente en su acción, hasta obtener los resultados que se ha propuesto alcanzar.

Teresa posee *metas globales* que se refieren a su existencia en general. Además, dispone de *metas* u *objetivos parciales*, que la orientan en cierta área de su vida, como puede ser el mantenerse en la presencia del Señor, conseguir su destino emocional, etcétera. También asigna una *meta parcial* a las acciones concretas que realiza a lo largo de su jornada diaria.

Tomemos algunos ejemplos de su capacidad para establecer *metas globales* que orientan el proceso de su existencia. Al describir su preparación inmediata a la emisión de los votos, el día de su profesión como religiosa carmelita, escribe:

> *"A los pies de Jesús-Hostia en el interrogatorio que precedió a mi profesión, declaré lo que venía a hacer en el Carmelo: 'He venido para salvar almas, y, sobre todo, para orar por los sacerdotes'.*
> *Cuando se quiere alcanzar una meta, hay que poner los medios para ello. Jesús me hizo comprender que las almas quería dármelas por medio de la cruz; y mi anhelo de sufrir creció a medida que aumentaba el sufrimiento."* [1]

En este texto precisa cuál es su *meta* y cuáles son los *medios* que puede utilizar para alcanzarla.

En otro momento, como una variante de lo que acaba de expresar, describe cuál es la *meta global* de su vida.

---

1. Sta. Teresa de Lisieux, *Manuscrito A* [69vº], en sus *Obras completas*. Burgos, Monte Carmelo, 1996, p. 217.

"Quiero ser hija de la Iglesia como nuestra Madre Teresa, y rogar por las intenciones de nuestro Santo Padre el Papa, sabiendo que sus intenciones abarcan todo el universo. Esta es la meta global de mi vida." [2]

Además de éstas y otras ocasiones en que alude a su *meta global,* Teresa echa mano de la palabra meta o algún sinónimo para referirse a sus *metas parciales.*

Cuando se refiere a sus primeros años en el Carmelo, recuerda que tenía muy claro en qué consistía la *perfección* o *excelencia* en la vida religiosa. Entonces se plantea cómo puede ampliar sus horizontes todavía más.

"(Al principio de mi vida espiritual, hacia los 13 ó los 14 años, me preguntaba qué progresos tendría que hacer más adelante, pues creía que no podría comprender ya mejor la perfección. Pero no tardé en convencerme de que cuanto más adelanta uno en este camino, más lejos se ve el final. Por eso, ahora me resigno a verme siempre imperfecta, y encuentro en ello mi alegría...)" [3]

Además de buscar el *final* o *meta* de la *perfección,* Teresa se lanza a investigar, casi al final de su vida, cuál puede ser su misión personal. También contempla esta búsqueda como una *meta.* Al descubrirla, comenta:

"Al igual que Magdalena, inclinándose sin cesar sobre la tumba vacía, acabó por encontrar lo que buscaba, así también yo, abajándome hasta las profundidades de mi nada, subí tan alto que logré alcanzar mi meta." [4]

---

2. Sta. Teresa de Lisieux, *Manuscrito C* [33vº], p. 321.

3. Ib. [74rº], p. 226.

4. Sta. Teresa de Lisieux, *Manuscrito B* [3rº-3vº], p. 260. En la traducción española el traductor emplea la palabra "intento" en lugar de meta ("but" en francés), de forma muy oportuna.

En fin, Teresa se refiere también a la *meta* que tiene al presentarse ante Monseñor Révérony, cuando se propone conseguir el permiso para entrar en el Carmelo con sólo 15 años de edad.[5]

Más tarde, cuando narra su viaje a Roma para tener una audiencia con el Papa León XIII, remarca su objetivo cuando escribe: "Ahora sólo me falta ya hablar de Roma. ¡De Roma, meta de nuestro viaje, donde yo esperaba encontrar el consuelo, pero donde encontré la cruz...!". [6]

En concreto, pues, Teresa de Lisieux nos enseña a precisar las *metas* que nos proponemos alcanzar en la vida, en ciertos aspectos de la misma y en cada una de las actividades principales de cada día. Nos ayuda el método de hacer preguntas: "¿Qué quiero realmente en la vida?" "¿Qué quiero cuando me propongo orar, amar, crecer...?" "¿Qué quiero de verdad al emprender esta actividad?"

5.2 Seguir un plan de acción

Teresa no sólo es una *soñadora*, una mujer de *deseos inmensos*, sino también una *realista* que, como las grandes mujeres y los grandes hombres de la historia, sabe alcanzar sus *metas* mediante la realización de sus proyectos. El secreto de su efectividad estriba en la habilidad para seguir un plan de acción cuando toma entre manos una empresa.

Un *plan de acción* implica pasos precisos hacia la consecución de la *meta deseada.*[7] Se trata de

---

5. Sta. Teresa de Lisieux, *Manuscrito A* [53vº y 54vº], pp. 182 y 185.

6. Ib, [60rº-60vº], p. 197.

7. La PNL se ha detenido a precisar, de acuerdo a un modelo de Pribram, Galanter y Miller, cuáles son los pasos esenciales de un plan de acción que se deriva directamente de la naturaleza humana. Tales pasos son incluidos en la sigla T.O.T.E. (**T**=Test, **O**=Operate, **T**=Test, **E**=Exit). Cfr R. Dilts, J. Grinder, R. Bandler, L. Cameron-Bandler, J. De Lozier, *Programmazione neurolinguistica.* Roma, Astrolabio, 1982, pp. 40-53. L. J. González, *PNL. Éxito y excelencia personal.* Monterrey, México, Font, 1997, pp. 20-23.

un proceso, de un flujo como el de un río, que avanza en pos de la *meta*. Su dinamismo brota de las *acciones* que emprendemos para lograr la *meta*. Pero, por estar hecho de acciones, es posible medir o verificar si progresamos o no en dirección de la *meta*. Por la misma razón, cuando la acción realizada no logra los resultados que se buscan, entonces se la puede cambiar y cambiar, hasta que descubramos la acción o medio que sí nos lleve hasta la *meta* que nos hemos propuesto alcanzar.

El proceso dinámico de un *plan de acción* implica cuatro pasos fundamentales:[8]

1. *Meta*
2. *Acción*
3. *Agudeza*
4. *Flexibilidad*

Estamos frente a un proceso biológico y natural. Opera en todos los vivientes. En el caso de los humanos puede ser más evidente. A lo largo de la jornada diaria utilizamos los cuatro pasos: *Meta, acción, agudeza, flexibilidad.*[9] A lo largo del día, sin cesar, empleamos este conjunto de pasos que interactúan entre sí.

Por ejemplo, si te sientas a comer, tienes la *meta* de saciar tu hambre. La *acción*, obviamente, consiste en ingerir los alimentos que has escogido. Mediante la *agudeza* verificas si has alcanzado tu meta, es decir,

---

8. Algunos autores piensan que los tres primeros elementos: *Meta, agudeza, flexibilidad* representan una buena síntesis de lo que es la PNL: J. O'Connor & J. Seymour, *Introducing meuro-linguistic programming.* London, HarperCollins, 1990, p. 27. Yo me permito incluir la *acción* que, aunque es obvia su presencia, me parece que vale la pena enfatizarla. Al menos en el contexto del presente capítulo.

9. Corresponden, en realidad, a los pasos del T.O.T.E. mencionado en la nota 7 de este capítulo. Cierto, cada T.O.T.E. presupone una *meta*. Supongamos el sintonizar adecuadamente una estación de radio que emite música clásica. Luego viene el **o**perar o la *acción*. Después interviene el **t**est o *agudeza*, para verificar si hemos encontrado la estación y si la hemos sintonizado con precisión. De no ser así, entra en juego la *flexibilidad*, que nos hace **o**perar y **o**perar hasta que logramos lo que deseamos: sintonizar exactamente la estación de música clásica.

si te sientes satisfecho. Cuando descubres que todavía hay un hueco en tu estómago, entonces despliegas tu *flexibilidad*: operas mediante la acción de buscar algo más que puedas comer. Cuando finalmente ya has alcanzado tu *meta*, esto es, te sientes satisfecho, entonces *sales* de este círculo de acción. Has terminado de comer.

Las personas con un *comportamiento excelente* son capaces de seguir estos cuatro pasos de modo más consciente. No digo del todo *consciente*. Pero sí en lo que respecta a la *meta* y la *acción* o puesta en marcha de los medios. Esto lo hemos visto ya en Teresa con una exactitud que sorprende.

En todo caso, una persona excelente en su comportamiento da la impresión de preguntarse antes de cada acción importante:

> –*¿Qué quiero realmente? ¿Cuál es mi meta?*
> –*¿Qué acción o acciones voy a realizar para alcanzarla?*
> –*¿Cómo sé si avanzo o no en el logro de mi meta?*
> –*¿Qué otras acciones puedo realizar, si lo que hago no me acerca a mi meta?*

No digo que Teresa se hace estas preguntas de modo explícito. No. Se limita a responderlas de forma intuitiva y con precisión excepcional. Ya he insistido en su habilidad para puntualizar sus *metas* y concretizar los *medios* o *acciones* para conseguirlas.

Ahora quisiera poner de relieve el realismo y eficacia con que se lanza a la *acción* con el fin de alcanzar sus *metas*. Con este propósito, aprovecha los *medios* que el Señor le ha entregado como talentos naturales.

Propongo a continuación una de las *metas* de Teresa. Así resulta más palpable que ella sigue los cuatro pasos de un *plan sistémico de acción*.

1. Meta: *Paz interior*. Ya hemos visto que en la *nota de su profesión*, con una claridad que nadie esperaría en una jovencita de 17 años, coloca la *paz* en el centro de su destino emocional: "*Jesús, no te pido más que la paz*".

2. Acción: *Constante y efectiva*. Realiza acciones efectivas para conservar su *paz*. Su vida nos ofrece varios ejemplos al respecto. Un día en que Teresa acaba de sufrir ciertas humillaciones muy penosas por parte de algunas hermanas, explica a su hermana, sor Inés, cómo se las arregla para mantenerse en paz. "Hace poco, durante mi lucha con sor X, yo miraba con gran placer cómo retozaban las hermosas aves en el prado, y me sentía tan en paz como en la oración..." [10]

3. Agudeza: *Criterio para medir su progreso hacia la meta*. Teresa no explica de modo explícito cuál criterio utiliza interiormente para verificar si avanza o no en pos de su meta. Sin embargo, da a entender, con toda precisión, que tiene y emplea un procedimiento de evidencia para saber si se aleja o se acerca a la *paz interior*.

Hay un episodio de su vida, narrado por ella misma, que nos muestra a lo vivo su empleo de la *agudeza*.

Teresa lleva a la Madre María de Gonzaga, que está enferma, las llaves de la reja de la comunión. Otra hermana la ve acercarse a la puerta de la celda de la superiora. Temiendo que Teresa la despierte, le pide las llaves. Teresa se rehusa porque ella es la sacristana y a ella le compete devolverlas. Al mismo tiempo explica a la hermana, "lo más educadamente que puede", que no piensa despertar a la enferma. Luego insiste en entrar. La hermana empuja la puerta. Con el ruido se despierta la superiora.

> *"Entonces, Madre, toda la culpa recayó sobre mí. La pobre hermana a la que yo había opuesto resistencia se puso a echar un discurso, cuyo fondo sonaba así: Ha sido sor Teresa del Niño Jesús la que ha hecho el ruido... ¡Dios mío, qué hermana tan antipática...!, etcétera. Yo, que pensaba todo lo contrario, sentía unas*

10. Sta. Teresa de Lisieux, *Últimas conversaciones* (18.4.1), p. 767.

ganas enormes de defenderme. Afortunadamente, me vino una idea luminosa: pensé en mi interior que, si empezaba a justificarme, no iba a poder conservar la paz en mi alma; sabía también que no tenía suficiente virtud como para dejarme acusar sin decir nada. Así que mi única tabla de salvación era la huida. Pensado y hecho: me fui sin decir ni mus, dejando que la hermana continuase su discurso, que se parecía a las imprecaciones de Camila contra Roma." [11]

Teresa exhibe en esta narración su refinada *agudeza: si empezaba a justificarme, no iba a poder conservar la paz de mi alma.* Está claro que lleva en su cerebro un criterio que le permite discernir si se acerca a su meta, que es la *paz,* o si está alejándose de ella. Sabe medir, con base en una sensación interna que le sirve de patrón –como el metro nos sirve de medida– y que percibe mediante el pensamiento la distancia respecto a la meta que se propone alcanzar.

4. Flexibilidad: *habilidad para cambiar de medios o acciones.* En la última cita tenemos un claro ejemplo de la *flexibilidad* de Teresa. Antes de escribir ese párrafo, como introducción al episodio mencionado, escribe: "mi *último recurso* para no ser vencida en los combates es la deserción...". Al señalar que se trata de su *último recurso para no ser vencida en sus combates,* da a entender que se trata de una salida excepcional. Por lo mismo, revela su capacidad para cambiar los medios utilizados para llegar a su meta.

En efecto, de acuerdo a su talante de triunfadora que la impulsa a conquistar las metas que se ha propuesto, Teresa prosigue su narración con un detalle que revela su sentido de eficiencia. Explica lo que ha sucedido después de que sale de la celda de la superiora sin decir ni mus.

---

11. Sta. Teresa de Lisieux, *Manuscrito* C [14vº-15rº], pp. 291-292.

> *"Me latía tan fuerte el corazón, que no pude ir muy lejos, y me senté en la escalera para disfrutar en paz los frutos de mi victoria. Aquello no era valentía, ¿verdad, Madre querida? Pero creo que, cuando la derrota es segura, vale más no exponerse al combate."* [12]

Con este ejemplo de la *flexibilidad* de Teresa, cerramos el ciclo *meta-acción-agudeza-flexibilidad*, que asegura un comportamiento eficiente. Por ser una mujer realista y con sentido práctico, utiliza este *plan sistémico de acción.* Al usarlo de hecho, aunque no del todo deliberadamente, logra eficiencia y concreción en su modo de comportarse.

5.3 Eficiencia en la acción

Las confesiones autobiográficas de Teresa de Lisieux revelan que, con su desarrollo humano, ha aprendido a tolerar, junto con el Señor, ciertas imperfecciones personales. Pero, al desplegar su sentido práctico, sabe aprovecharse de ellas, como medios eficaces, para conservar su actitud de humildad y pequeñez.

Sin embargo, al comportarse de este modo manifiesta, al mismo tiempo, su *eficiencia en la acción.* En efecto, al emplear sus aparentes derrotas en medios para conseguir sus fines, demuestra su excepcional habilidad para alcanzar las metas que se ha propuesto.

Teresa exhibe todo su talante de triunfadora cuando se propone conquistar las metas que el Señor le propone. Entonces, con mayor goce y seguridad habla de *victorias* reales y tangibles.

Ella misma, como hemos visto, describe los efectos de la gracia de Navidad en términos de éxito constante. "Desde aquella noche bendita ya no conocí la derrota en ningún combate, sino que, al contrario, fui de victoria en victoria y comencé, por así decirlo, 'una carrera de gigante'..."[13]

---

12. Ib. [15rº], p. 292.

13. Sta. Teresa de Lisieux, *Manuscrito A* [44vº], p. 164.

Para ir *de victoria en victoria*, Teresa dispone de algunos secretos. Cierto, sabe emplearlos en sintonía con la gracia del Señor que ella constantemente reconoce en su vida. Consideremos, entre otros, los siguientes: 1) *Proceso del cambio,* 2) *recursos para el cambio,* 3) *acciones pequeñas,* 4) *habilidades constituidas.*

1. El *proceso del cambio* constituye una relación entre un *punto de partida* y un *punto de llegada.* Se procura llegar a éste mediante uno o más recursos que sirven como *medio* o *vehículo.* Entonces, de acuerdo a la PNL, resulta el esquema siguiente:[14]

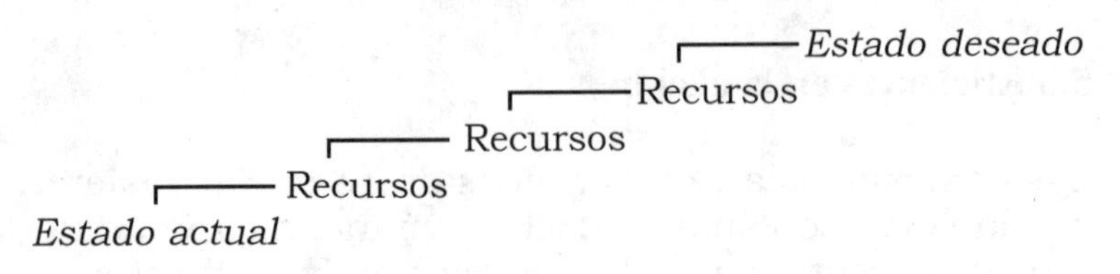

Estado deseado. En este proceso todo comienza con el fin o *estado deseado* muy claro en la mente. Teresa habla, aquí y allá, de sus *deseos.* Después de la gracia de Navidad, se transforma en una mujer de deseos. Sólo en tres páginas menciona la variedad de sus deseos.

> *"No eran todavía las almas de los sacerdotes las que me atraían, sino las de los* grandes pecadores*; ardía en deseos de arrancarles del fuego eterno... Y para avivar mi celo, Dios me mostró que mis deseos eran de su agrado."*[15]
> *"A partir de esta gracia sin igual, mi deseo de salvar almas fue creciendo de día en día. Me parecía oír a Jesús decirme como a la Samaritana: '¡Dame de beber!' "*[16]

---

14. R. Dilts, J. Grinder, R. Bandler, L. Cameron-Bandler, J. De Lozier, *Programmazione neurolinguistica,* o. c., pp. 30-31.

15. Sta. Teresa de Lisieux, *Manuscrito A* [45vº], p. 166.

16. Ib. [46vº], p. 167.

"Mi espíritu, liberado ya de los escrúpulos y de su excesiva sensibilidad, comenzó a desarrollarse. Yo siempre había amado lo grande, lo bello, pero en esta época me entraron unos deseos enormes de saber.*"* [17]

Estado actual. Una vez que el *estado deseado* ha sido determinado, es indispensable saber dónde se encuentra uno en relación con él. Por tanto, para lograr el cambio en pos de la meta o estado deseado, resulta fundamental que reconozcamos y aceptemos la *realidad* o *estado actual.*

En la psicología de las empresas se dice que el dinamismo entre el estado deseado y el *estado actual* "encarna dos movimientos subyacentes. El primero consiste en clarificar continuamente lo que es importante para nosotros. A menudo pasamos tanto tiempo afrontando problemas en nuestra senda que olvidamos por qué seguíamos esa senda.

El segundo consiste en aprender continuamente a ver con mayor claridad la realidad actual. Todos hemos conocido a personas atascadas en relaciones contraproducentes, que siguen empantanadas porque insisten en fingir que todo anda bien... al moverse hacia un destino deseado, es vital saber dónde estamos ahora".[18]

Teresa, llevada de su realismo peculiar y de su gran amor a la verdad, se atreve a parecer grosera, no obstante su finura y delicadeza de trato.[19] Dos meses antes de morir, su hermana sor Inés le pide diga unas palabras amables y edificantes al Dr. De Cornière. Teresa replica:

---

17. Ib. [46vº], p. 168.

18. P.M. Senge, *La quinta disciplina.* Buenos Aires, Vergara/Granica, 1992, p. 182.

19. Cfr P. d'Ornellas, *Sainte Thérèse de l'Enfant Jésus."Ma folie à moi c'est d'espérer".* Paris, Mame, 1997, pp. 55-75.

"Madrecita, no es ése mi estilo... Que el Sr. De Cornière piense lo que quiera. Sólo amo la sencillez y aborrezco el 'fingimiento'..."[20]

Reafirmando lo anterior, una carmelita de su comunidad menciona, en el proceso apostólico de beatificación, lo que en alguna ocasión le dijo Teresa:

"Yo os digo la verdad, aborrecedme, si lo queréis, pero os la diré hasta la muerte." [21]

Su amor a la verdad se vuelve luminoso como una estrella cuando se dirige a Jesús, la Verdad eterna, diciéndole:

"¿Pero hay de verdad puro amor *en mi corazón...? Mis inmensos deseos ¿no serán un sueño, una locura...? ¡Ay!, si así fuera, dame tu luz, Jesús. Tú sabes que busco la verdad..."*[22]

Así, apegándose a la verdad que busca, Teresa reconoce que su punto de partida resulta gris y opaco: hipersensibilidad de su infancia, fracaso en la relación con sus compañeras de escuela, su extraña enfermedad, crisis de escrúpulos, fobias que la acompañan hasta la muerte.

Ya en el Carmelo, Teresa conservará para siempre la conciencia de su propia fragilidad.[23] Escribe a la Madre María de Gonzaga:

---

20. Sta. Teresa de Lisieux, *Últimas conversaciones* (7.7.4), en sus *Obras completas,* o. c., p. 802.
21. *Procès apostolique.* Roma, Teresianum, 1976, p. 475.
22. Sta. Teresa de Lisieux, *Manuscrito B* [4vº], p. 264.
23. C. De Meester, *Dynamique de la confiance.* Paris, Cerf, 1995, pp. 396-400.

"Usted, Madre, sabe bien que yo siempre he deseado ser santa. Pero, ¡ay!, cuando me comparo con los santos, siempre constato que entre ellos y yo existe la misma diferencia que entre una montaña cuya cumbre se pierde en el cielo y el oscuro grano de arena que los caminantes pisan al andar. Pero en vez de desanimarme, me he dicho a mí misma: Dios no puede inspirar deseos irrealizables; por tanto, a pesar de mi pequeñez, puedo aspirar a la santidad. Agrandarme es imposible; tendré que soportarme tal cual soy, con todas mis imperfecciones..."[24]

2. *Recursos para el cambio.* Entre los *recursos* que utiliza Teresa para caminar hacia su *estado deseado* conviene recordar no sólo aquellos de tipo espiritual, sino también los *humanos.* Sin éstos, en el caso de los hombres y mujeres que vivimos en este planeta, aquéllos resultarían inútiles.

En fin, entre los recursos espirituales de Teresa destacan, sobre todo, las actitudes de *fe, esperanza* y *amor*, que en ella se sintetizan en forma de *confianza* y de *amor.*[25] Escribe al Padre Roulland: "Mi camino es todo él de confianza y amor".[26] Y vive esas actitudes en la Eucaristía, en la oración, en la práctica de la presencia de Dios, en las relaciones cordiales con sus hermanas de comunidad.

Transcribo a continuación el final de su último manuscrito. Así podemos sentir el impulso que Teresa quiere dar al *recurso* que está al alcance de todos los seres humanos: la *confianza de hijos en nuestro Padre del cielo y en su Hijo, Jesucristo.*

---

24. Sta. Teresa de Lisieux, *Manuscrito C* [2vº], p. 274.

25. Sobre las actitudes teologales sintetizadas en la *confianza*, Cfr C. De Meester, *Dynamique de la confiance*, o. c., pp. 492-504.

26. Sta. Teresa de Lisieux, *Cartas* (9-V-1897), en sus *Obras completas*, o. c., p. 587.

"Sólo tengo que poner los ojos en el santo Evangelio para respirar los perfumes de la vida de Jesús y saber hacia dónde correr... No me abalanzo al primer puesto, sino al último; en vez de adelantarme con el fariseo, repito llena de confianza la oración del publicano. Pero, sobre todo, imito la conducta de la Magdalena. Su asombrosa, o, mejor dicho, su amorosa audacia, que cautiva el corazón de Jesús, seduce al mío.
Sí, estoy segura de que, aunque tuviera sobre la conciencia todos los pecados que pueden cometerse, iría, con el corazón roto de arrepentimiento, a echarme en brazos de Jesús, pues sé cómo ama al hijo pródigo que vuelve a él.
Es cierto que Dios, en su misericordia preveniente, *ha preservado mi alma del pecado mortal. Pero no es ésa la razón de que yo me eleve a él por la confianza y el amor."* [27]

La forma gráfica que Teresa da a estos *recursos* es la del *caminito.* Se le conoce con el nombre de *camino de infancia espiritual.* Por él avanza Teresa, unida con Jesús, hacia la unión con Dios, partiendo del reconocimiento humilde de su imperfección, poniendo toda su confianza en la misericordia de Dios, del que espera la gracia de un amor sin límites para Jesús y el prójimo, aprovechando todos sus recursos personales –sobre todo su inteligencia y su libertad.[28]

3. *Acciones pequeñas.* Teresa, de acuerdo al *caminito* que ha elegido, procura avanzar hacia la realización de su *estado deseado* por medio de *acciones pequeñas.*

En este sentido, Teresa sabe amalgamar las elevadas metas de sus *deseos inmensos* con la *pequeñez de los pasos* concretos que va dando hacia ellas.

---

27. Sta. Teresa de Lisieux, *Manuscrito C* [36vº-37rº], p. 326.

28. Sobre el "*caminito*", Cfr C. De Meester, *Dynamique de la confiance*, o. c., pp. 82-90.

En psicología se sabe que el *cambio* y *desarrol* humanos reclaman la experiencia y, por lo mismo, conciencia de la capacidad y eficiencia personal. Necesitamos saber por experiencia que sí podemos hacer algo determinado. Pues, precisamente, las acciones pequeñas, sugeridas por el ejemplo de Teresa, por hallarse al alcance de nuestras posibilidades, generan el sentimiento de capacidad y eficiencia.

Teresa de Lisieux, desde pequeña, y no obstante el haberse vuelto una niña retraída e hipersensible, logra el sentido de la eficiencia mediante el ejercicio de pequeños actos virtuosos.

> *"Mis mortificaciones consistían en doblegar mi voluntad, siempre dispuesta a salirse con la suya; en callar cualquier palabra de réplica; en prestar pequeños servicios sin hacerlos valer; en no apoyar la espalda cuando estaba sentada, etcétera..."*[29]

Ya en el Carmelo, Teresa sigue este mismo camino. Incluso lo identifica con su *caminito*. Lo recorre, prácticamente, por medio de *acciones pequeñas*. Cuando se propone vivir el amor, se reconoce como un niño pequeño. Como tal, se pregunta, "pero ¿cómo podrá demostrar él su amor, si es que el amor se demuestra con obras? Pues bien, el niñito *arrojará flores*, aromará con sus *perfumes* el trono real, cantará con voz argentina el cántico del amor..."

Luego, de inmediato, concretiza cuáles son las flores que ella, siendo como una niña, puede arrojar a los pies del Señor.

> *"Sí, Amado mío, así es como se consumará mi vida... No tengo otra forma de demostrarte mi amor que arrojando flores, es decir, no dejando escapar ningún pequeño sacrificio, ni una sola mirada, ni una sola palabra, aprovechando las más pequeñas cosas y haciéndolas por amor..."*[30]

---

29. Sta. Teresa de Lisieux, *Manuscrito A* [68vº], p. 214.

30. Sta. Teresa de Lisieux, *Manuscrito B* [4rº-4vº], p. 263.

4. *Habilidades constituidas.* Teresa da razón a la psicología contemporánea con otro aspecto de su vida: la adquisición de *habilidades.*

En la actualidad se considera que las *habilidades* son uno de los pilares fundamentales de la educación. Se dice que el *aprendizaje*, en la escuela o en la universidad o en el trabajo o en la vida, debe apuntar hacia la adquisición de habilidades.

> *"En este contexto, 'aprendizaje' no significa adquirir más información, sino expandir la aptitud para producir los resultados que deseamos."* [31]

Si nos fijamos bien, el concepto moderno de *habilidad* corresponde a lo que, en el ámbito moral y espiritual, conocemos como "virtud".

La *habilidad* o *virtud* desarrolla la capacidad real o *aptitud* para comportarse uno de acuerdo a sus propias elecciones y decisiones. Ya san Juan de la Cruz se ha percatado de la necesidad de semejante aptitud cuando, refiriéndose a la importancia de una renuncia efectiva a cualquier apego o imperfección voluntaria, espera que la persona "venga a tener poder y libertad para poderlo hacer".[32]

Exactamente, en la psicología actual, *habilidad* significa eso que dice el Santo carmelita: *tener poder y libertad para poder hacer* lo que realmente nos hemos propuesto lograr.

Teresa de Lisieux nos enseña el recurso natural más efectivo para desarrollar una habilidad: la *acción pequeña repetida.* Refiriéndose al esfuerzo que ella y su hermana Celina realizaban de niñas para adquirir las habilidades que deseaban, escribe:

---

31. P. Senge, *La quinta disciplina*, o. c., p. 182.

32. S. Juan de la Cruz, *Subida al Monte Carmelo* 11,3.

> *"La práctica de la virtud se nos hizo dulce y natural. Al principio, mi rostro delataba muchas veces el combate, pero poco a poco esa impresión fue desapareciendo y la renuncia se me hizo fácil, incluso desde el primer momento."* [33]

Cuando un determinado comportamiento *se hace fácil, incluso desde el primer momento*, significa que una habilidad ha sido constituida como tal en la propia personalidad. En este último ejemplo, se trata de la habilidad para renunciar a los propios gustos con el fin de seguir "las huellas de Jesús" y agradar así a Dios Padre.

---

33. Sta. Teresa de Lisieux, *Manuscrito A* [48r°], p. 171.

6. MISIÓN PERSONAL: ALMA DEL DESARROLLO HUMANO

Teresa sintoniza también con la psicología de este tiempo en otro aspecto esencial para el desarrollo humano: la búsqueda y descubrimiento de la *misión personal*.

Será difícil para la psicología encontrar otra persona como Teresa de Lisieux en la que, un siglo antes, se verifique tan clara y exactamente el proceso de buscar y encontrar la propia misión.

Los puntos en que he dividido el material pertinente a este capítulo son los siguientes:

Teresa en busca de su misión personal
Descubrimiento de su misión personal
Teresa realiza su misión personal

6.1 Teresa en busca de su misión personal

Ya hacia el final de su vida. Teresa empieza a experimentar un sentimiento de insatisfacción. No está contenta con su *vocación*. Desea mucho más que lo que ésta le puede ofrecer. Ella misma afirma que no se siente satisfecha.

> *"Ser tu* esposa, *Jesús, ser* carmelita, *ser por mi unión contigo* madre *de almas, debería bastarme... Pero no es así... Ciertamente, estos tres privilegios son la esencia de mi vocación: carmelita, esposa y madre.*

Sin embargo, siento en mi interior otras vocaciones: siento la vocación de guerrero, de sacerdote, de apóstol, de doctor, de mártir. En una palabra, siento la necesidad, el deseo de realizar por ti, Jesús, las más heroicas hazañas... Siento en mi alma el valor de un cruzado, de un zuavo pontificio. Quisiera morir por la defensa de la Iglesia en un campo de batalla..."[1]

Lo primero que salta a la vista en este texto, a la luz de la insatisfacción de Teresa, es la diferencia entre *vocación y misión personal.*

Cierto, en esta ocasión Teresa no hace una distinción explícita entre esas dos realidades. O mejor, sí distingue explícitamente lo que es la *vocación* y lo que significa la *misión*, pero sin utilizar palabras distintas en cada caso. En ambos casos echa mano del término *vocación*. Más tarde en otros escritos, sí emplea la palabra *misión* para referirse a la *tarea especial que le toca cumplir en el mundo* dentro de su propia *vocación.*[2]

Observemos que Teresa alude con toda claridad a su *vocación: carmelita, esposa y madre*. Valora y aprecia esta vocación con sus tres caras distintas. A éstas tres las considera como un privilegio: *Ciertamente, estos tres privilegios son la esencia de mi vocación: carmelita, esposa y madre.*

Estos *tres privilegios* deberían bastarle, *pero no es así*. Está claro: experimenta otros deseos, otras vocaciones, anhelos de algo más. En otras palabras, aspira a lo que hoy suele llamarse *misión personal.*

Tanto la teología como la psicología contemporáneas se ocupan de la *misión personal.*

---

1. Sta. Teresa de Lisieux, *Manuscrito B* [2v°], en sus *Obras completas.* Burgos, Monte Carmelo, 1996, pp. 258-259.

2. Cfr L. J. González, *Misión personal.* Roma, Teresianum, 2000, pp. 12-20. L. B. Jones, *The path. Creating your misión statement for work and for life.* New York, NY, Hyperion, 1996, pp. 9-20. N. Stephan, *Finding your life mission.* Walpole, NH, Stillpoint, 1989, pp. 3-14.

En lo que respecta a Teresa de Lisieux, corresponde al P. Hans Urs von Balthasar el mérito de haber percibido el sentido de la misión personal que palpita en ella. Más que un latido rítmico y regular, como el del corazón, se trata de un jaloneo interior que, con variable intensidad, es producido por el atractivo irresistible de su misión.[3]

Sólo que, de pronto, no sabe de qué se trata. Sólo experimenta *otras vocaciones* más allá de la propia. Como un llamado. Como si Dios hiciera resonar su voz en el corazón de Teresa.

Este llamado especial, por otro lado, se halla en directa relación con su ser, con su identidad, con su persona. Hoy, tanto la teología como la psicología coinciden en advertir que el cumplimiento de la propia misión es lo que realiza a la persona. Escribe al respecto un teólogo español:

> *"Calderón de la Barca en un sentido y Hans Urs von Balthasar en otro nos han redescubierto esta concepción 'misional' de la persona: ser persona es tener una misión y cumplir un papel, de forma que la persona funda la misión y la misión realiza a la persona. Nuestro ser está acompasado a nuestro hacer y nuestra persona forjada a la medida de nuestra misión. De ahí que sólo descubra su persona quien descubre su misión. Y sólo realiza su autonomía en el mundo quien lleva a cabo el encargo que ha recibido. Dios ha fiado la realización de su plan en el mundo al hombre, confía en él y de él espera su realización."*[4]

Esto significa que Teresa, igual que cualquiera de nosotros, necesita encontrar su *misión personal* no sólo para servir al mundo, a la Iglesia, a los seres humanos,

---

3. H. Urs von Balthasar, *Teresa de Lisieux. Historia de una misión*. Barcelona, Herder, 1989, pp. 24-36.

4. O. González de Cardedal, *Raíz de la esperanza*. Salamanca, Sígueme, 1995, p. 250.

sino también para realizarse ella misma como persona y como santa. De esta doble necesidad, pero sobre todo del llamado que le hace el Autor de su misión, surgen sus "audaces deseos" de algo más allá de su vocación de carmelita, esposa de Jesús y madre de almas.

La *psicología* también, sobre todo la PNL, también conecta *misión personal* y *realización personal*. De acuerdo a la PNL, la *misión* brota directamente de la *identidad*[5]. En la medida en que alguien realiza su propia *misión*, logra al mismo tiempo que su *identidad* florezca y se realice como tal. De acuerdo a este enfoque, la PNL propone caminos prácticos para descubrir la *misión personal*.[6]

Ahora podemos comprender la importancia de la *autoestima* en la vida humana. Sea desde la perspectiva humana o espiritual, la autoestima que nos lanza a querer "ser lo que él –Dios– quiere que seamos"[7] logra colocarnos en el camino del ser, de la propia identidad, para buscar allí mismo las raíces de la propia *misión personal*.

Teresa escoge un camino más espiritual para la búsqueda de su misión: la *Palabra de Dios* en la *Escritura*.

> *"Como estos mis deseos me hacían sufrir durante la oración un verdadero martirio, abrí las cartas de san Pablo con el fin de buscar una respuesta. Y mis ojos se encontraron con los capítulos 12 y 13 de la primera carta a los Corintios...*

---

5. La PNL, como sabemos, se ocupa del "estudio de la estructura de la experiencia subjetiva". Luego distingue seis niveles *neuro-lógicos* en dicha experiencia: *espiritual, identidad, creencias/valores, capacidades, conductas, ambiente*. Sobre estos niveles: R. B. Dilts and R. Mc Donald, *Tools of the spirit*. Capitola, CA, Meta Publications, 1997, pp. 21-36. L. J. González, *PNL. Éxito y excelencia personal*. Monterrey, México, Font, 1997, pp. 33-40.

6. S. Andreas y Ch. Faulkner (Eds.), *PNL. La nueva tecnología del éxito*. Barcelona, Urano, 1998, pp. 87-116. Ver también: A. Robbins, *Despertando al gigante interior*. México, Grijalbo, 1993, pp. 496-520.

7. Sta. Teresa de Lisieux, *Manuscrito A* [2v], p. 84.

Leí en el primero que no todos pueden ser apóstoles, o profetas, o doctores, etcétera...; que la Iglesia está compuesta de diferentes miembros, y que el ojo no puede ser al mismo tiempo mano. La respuesta estaba clara, pero no colmaba mis deseos ni me daba la paz..." [8]

6.2 Descubrimiento de su misión personal

Teresa ya no puede parar. El ímpetu de su búsqueda es casi irresistible. Así que decide seguir buscando en la misma Palabra de Dios.

Ésta es una lección fundamental para quienes deseamos aprender de ella un desarrollo humano que vaya unido con el crecimiento espiritual. Necesitamos buscar, investigar, interrogar. Sobre todo podemos interrogar directamente al Autor de la misión personal de cada ser humano: Dios Padre.

A Dios podemos preguntarle, con perseverancia y viva esperanza: "Padre, ¿qué esperas tú de mí?".

En efecto, la teología nos recuerda que hay una correspondencia exacta entre la esperanza que Dios tiene puesta en cada persona y la misión que ésta ha de realizar en el mundo para realizarse ella misma como persona.

"Podemos concluir diciendo que Dios espera del hombre porque le ha encargado una misión y le ha otorgado confianza. Y se la ha otorgado en tal forma, que su soberanía infinita la hace posible como fruto de la libertad humana y como tal libertad del hombre la valora. El mundo es, así, el resultado de un proyecto llevado a cabo conjuntamente entre el hombre y Dios. De una cierta manera a todo provee Dios y de otra manera no menos cierta a todo tiene que proveer el hombre. En el actual designio de Dios para el mundo, ya no se valen ni Dios sin el hombre ni el hombre sin Dios." [9]

---

8. Sta. Teresa de Lisieux, *Manuscrito B* [3r°], p. 260.
9. O. González de Cardedal, *Raíz de la esperanza*, o. c., pp. 252-253.

Teresa es un ejemplo patente de esta colaboración entre Dios y el hombre. Y cuando se lanza a buscar su *misión personal*, la busca directamente en la Palabra de Dios. Es como si le preguntara al Señor: "Padre, ¿qué esperas tú de mí?".

Allí, en la Palabra de Dios, encuentra la respuesta del Padre. Sin darse por vencida, e impulsada por su capacidad de investigadora, prosigue su exploración en la primera carta de san Pablo a los Corintios.

> *"Seguí leyendo, sin desanimarme, y esta frase me reconfortó: 'ambicionad los carismas mejores. Y aún os voy a mostrar un camino inigualable'. Y el apóstol va explicando cómo los mejores carismas nada son sin el amor... Y que la caridad es ese camino inigualable que conduce a Dios con total seguridad.*
> *Podía por fin descansar... Al mirar el cuerpo místico de la Iglesia, yo no me había reconocido en ninguno de los miembros descritos por san Pablo; o, mejor dicho, quería reconocerme en todos ellos...*
> *La caridad me dio la clave de mi vocación. Comprendí que si la Iglesia tenía un cuerpo, compuesto de diferentes miembros, no podía faltarle el más necesario, el más noble de todos ellos. Comprendí que la Iglesia tenía un corazón, y que ese corazón estaba ardiendo de amor.*
> *Comprendí que sólo el amor podía hacer actuar a los miembros de la Iglesia; que si el amor llegaba a apagarse, los apóstoles ya no anunciarían el Evangelio y los mártires se negarían a derramar su sangre...*
> *Comprendí que el amor encerraba en sí todas las vocaciones, que el amor lo era todo, que el amor abarcaba todos los tiempos y lugares...*
> *En una palabra, ¡que el amor es eterno...!*
> *Entonces, al borde de mi alegría delirante, exclamé: ¡Jesús, amor mío..., al fin he encontrado mi vocación! ¡Mi vocación es el amor...!*

Sí, he encontrado mi puesto en la Iglesia, y ese puesto, Dios mío, eres tú quien me lo ha dado... En el corazón de mi Madre, la Iglesia, yo seré el amor... Así lo seré todo... ¡¡¡Así mi sueño se verá hecho realidad...!!!
¿Por qué hablar de alegría delirante? No, no es ésta la expresión justa. Es, más bien, la paz tranquila y serena del navegante al divisar el faro que ha de conducirle al puerto... ¡Oh, faro luminoso del amor, yo sé cómo llegar hasta ti! He encontrado el secreto para apropiarme tu llama." [10]

Donde Teresa escribe: ¡*Jesús, amor mío..., al fin he encontrado mi vocación! ¡Mi vocación es el amor...!*, pondríamos la palabra *misión* en lugar de "vocación". Este cambio me parece justificado a la luz de la definición actual del concepto de misión.

La *vocación* de Teresa de Lisieux consiste en ser *carmelita, esposa del señor y madre de almas*. Dentro de este triple perfil de su vocación hay un núcleo más profundo y más dinámico: su *misión: En el corazón de mi Madre, la Iglesia, yo seré el amor.*

Otro tanto es válido para cada uno de nosotros. En el encuentro de la vocación existe un núcleo vivo y poderoso: la *misión personal*. La madre de familia está llamada a vivir su vocación de esposa y madre de forma única y original. El médico ha de ser médico de un modo único e irrepetible. El mecánico, el agricultor, el barrendero, lo mismo que el presidente de la república, el gobernador, el empresario, el obispo y todos y cada uno de los seres humanos han recibido del Creador una *misión personal*.

Esto significa que cada quien ha de buscar su *misión personal*, de manera que sepa realizar su cometido en la vida, esto es, su *vocación*, con la originalidad que le permita cooperar con Dios en la construcción de este mundo.

---

10. Sta. Teresa de Lisieux, *Manuscrito B* [3v°], pp. 260-261.

6.3 Cumplimiento de la misión personal

Una vez que Teresa ha descubierto su *misión personal*, se entrega a su cumplimiento con todo el ímpetu de su corazón enamorado. Ama a Jesús, ama a Dios Padre, ama a sus hermanas, ama a sus enemigos, ama su propio yo, ama el mundo, en fin, en el corazón de la Iglesia ella es el amor.

> *"Sí, Amado mío, así es como se consumirá mi vida... No tengo otra forma de demostrarte mi amor que arrojando flores, es decir, no dejando escapar ningún pequeño sacrificio, ni una sola mirada, ni una sola palabra, aprovechando hasta las más pequeñas cosas y haciéndolas por amor...*
> *Quiero sufrir por amor, y hasta gozar por amor. Así arrojaré flores delante de tu trono. No encontraré ni una sola en mi camino que no deshoje para ti..."* [11]

Meses más tarde, ya en 1897, año de su muerte, descubre que para cumplir su *misión* no necesita afanarse ni angustiarse, sino dejarse llevar por el torrente del amor divino.

> *"Las almas sencillas no necesitan usar medios complicados. Y como yo soy una de ellas, una mañana, durante la acción de gracias, Jesús me inspiró un medio muy sencillo de cumplir mi misión. Me hizo comprender estas palabras del Cantar de los Cantares: 'Atráeme, y correremos tras el olor de tus perfumes'.*
> *¡Oh, Jesús!, ni siquiera es, pues, necesario decir: Al atraerme a mí, atrae también a las almas que amo. Esta simple palabra, 'Atráeme', basta.*

11. Ib. [4r°-4v°], p. 263.

Lo entiendo, Señor. Cuando un alma se ha dejado fascinar por el perfume embriagador de tus perfumes, ya no puede correr sola, todas las almas que ama se ven arrastradas tras de ella. y eso se hace sin tensiones, sin esfuerzos, como una consecuencia natural de su propia atracción hacia ti. Como un torrente que se lanza impetuosamente hacia el océano arrastrando tras de sí todo lo que encuentra a su paso, así, Jesús mío, el alma que se hunde en el océano sin riberas de tu amor atrae tras de sí todos los tesoros que posee..." [12]

Estas afirmaciones sugieren que Teresa va profundizando más y más en el encargo especial que Dios le ha entregado. No es tanto su amor lo que hace arder el corazón de la Iglesia, sino el amor del que es Amor.

Al adoptar esta perspectiva, ella alcanza a intuir la amplitud de su *misión personal.* Se percata de que ella de veras puede servir de modelo para los cristianos y, tal vez, para los creyentes de todas las religiones.

"Su existencia es de valor ejemplar para la Iglesia por cuanto el Espíritu Santo se apoderó de ella y de ella se ha servido para demostrar por su medio algo a la Iglesia, para abrir un par de perspectivas nuevas sobre el Evangelio." [13]

Así Teresa confirma lo que la teología contemporánea nos recuerda: *La persona funda la misión y la misión realiza a la persona.* Teresa sabe que su doctrina tiene valor para los creyentes, porque ella misma ha recorrido el *caminito* que propone.[14]

---

12. Teresa de Lisieux, *Manuscrito C* [33v°-34r°], p. 322.
13. H. Urs von Balthasar, *Teresa de Lisieux. Historia de una misión*, o. c., p. 26.
14. H. Urs von Balthasar llega a sostener que, para Teresa, la "misión consistió realmente en la presentación de su 'camino' ", o. c., p. 27.

Por otro lado, al ir ampliando el horizonte de su misión, llega a intuiciones geniales y llenas de originalidad. Antes de morir se inventa un cielo a la medida de su *misión personal.*

> *"Tengo la confianza de que no voy a estar inactiva en el cielo. Mi deseo es seguir trabajando por la Iglesia y por las almas. Así se lo pido a Dios, y estoy segura de que me va a escuchar. ¿No están los ángeles continuamente ocupados de nosotros, sin dejar nunca de contemplar el rostro de Dios y de abismarse en el océano sin orillas del amor? ¿Por qué no me va a permitir Jesús imitarlos?"* [15]

Teresa escribe estas palabras pocas semanas antes de morir. Ya no duda que su final está cerca. Un poco antes de este párrafo, en la misma carta al P. Roulland, afirma: "Pronto iré a sentarme en el banquete celestial, pronto iré a apagar mi sed en las aguas de la vida eterna. Para cuando usted reciba esta carta, seguramente yo habré dejado ya la tierra". Pero no quiere quedarse sentada allí en el cielo. Planea seguir cumpliendo su misión en la tierra al mismo tiempo que contempla el rostro de Dios, abismándose en el océano sin límites del amor.

15. Sta. Teresa de Lisieux, *Cartas* (14-VII-1897), en sus *Obras completas,* o. c., p. 606.

7. TERESA EN LA FORJA DE LA HISTORIA

Teresa se ha convertido, a pesar de su pequeñez, en una de las figuras más notables de nuestro tiempo. Aunque muere en el 1897, deja sentir su influjo en el siglo XX. Ahora, en los inicios del Tercer Milenio, ella nos acompaña y, por momentos, se nos adelanta para mostrarnos el camino. Con espíritu de líder, ella nos señala el horizonte del futuro. Alargando su brazo derecho y con gesto seguro nos indica cuál es el mejor instrumento para forjar la historia que el hombre merece y Dios ha querido desde la eternidad.

Divido en dos partes las reflexiones de este breve y último capítulo:

- *Teresa, forjadora de historia*
- *La esperanza: motor de la historia*

7.1 Teresa, forjadora de historia

Teresa, sobre todo al experimentar el dinamismo impulsor de su misión, vive en pos del *futuro*. Igual que san Pablo, ella puede afirmar: "Una cosa hago: olvido lo que dejé atrás y me lanzo a lo que está por delante, corriendo hacia la meta, al premio a que Dios me llama desde lo alto en Cristo Jesús... Por lo demás, desde el punto adonde hayamos llegado, sigamos en la misma dirección" (Fil 3,13-14.16).

Teresa también tiene puesta la mira en la meta, en su misión, en Cristo, en el bien y salvación de las personas concretas. Igual que Pablo, ha desarrollado una especial sensibilidad de cara al futuro. No obstante su memoria feliz, que le permite recordar su pasado con finura de detalles, ella vive pendiente del futuro. Sin duda alguna aprovecha su pasado para reconocer su pequeñez y para "comenzar a cantar lo que un día repetiré por toda la eternidad: '¡¡¡Las misericordias del Señor!!!'..."[1]

La joven carmelita francesa ha intuido no sólo que el ser humano está orientado hacia el futuro, sino también que el futuro constituye el terreno donde puede construir su historia.

Aquí podemos recordar el *proceso del cambio* con su tensión entre el *estado actual* y el *estado deseado*. Tensión que se resuelve al usar como puente o vehículo hacia el futuro, donde nos aguarda la realización de nuestros deseos, la abundancia de *recursos* que Dios pone en manos de cada uno, de cada grupo e institución y, sobre todo, en manos de la humanidad y de la Iglesia. En ésta, por cierto, Dios mismo se nos ofrece como nuestro mejor recurso.

Dentro de este *proceso del cambio*, el *estado actual* se mueve sin cesar en pos del futuro. Necesita el espacio virgen y libre del futuro para poder prolongar su existencia. Pero allí vive siempre bajo la amenaza constante de las múltiples posibilidades con que el futuro nos sale al encuentro. En cualquier momento podemos acoger alguna de esas numerosas posibilidades del futuro y, en ese mismo instante, el *estado actual* será otro, habrá cambiado ya.

Por ejemplo, hemos visto que, en un momento dado, el *presente* de Teresa, su *estado actual*, es de insatisfacción respecto a su triple vocación. Sin embargo, advierte en el *futuro* la presencia de varias posibilidades: ser *guerrero, sacerdote, apóstol, doctor, mártir*...[2] Luego, cuando descubre su *misión personal*, le sale al encuentro una posibilidad nueva, que incluye la esencia de las anteriores. Opta por ésta y la va realizando en el territorio del futuro.

---

1. Sta. Teresa de Lisieux, *Manuscrito A* [2rº], en sus *Obras completas*. Burgos, Monte Carmelo, 1996, p. 83.

2. Sta. Teresa de Lisieux, *Manuscrito B* [2vº], pp. 258-259.

En este sentido, no hay duda, en el sendero de la vida, que abarca *pasado-presente-futuro*, el más vivo, real y abierto es el *futuro*. El *pasado* ya pasó. El *presente* está pasando y se transforma en *pasado*, no obstante que aprovecha los segundos más inmediatos del futuro para prolongar su existencia. Si estás saboreando una fruta, un crepúsculo encendido, la celebración de la Eucaristía, el encuentro con un amigo, tu *estado actual* no tardará en ser víctima de la fugacidad de la vida, para transformarse irremediablemente en *pasado*.

En cambio, el *futuro* siempre está allí como fuente desbordante de posibilidades. Una de éstas consiste en ofrecer el espacio necesario para que alguien recuerde su *pasado*. Si tú decides contarme tus experiencias en el último año del pasado milenio, tendrás que aprovechar los terrenos del *futuro*, utilizando los próximos minutos para narrarme lo que has vivido.

La Iglesia contemporánea, consciente de la *constitución futurista* del hombre,[3] alienta a los cristianos a convertirse en forjadores de historia. En *el Documento de Puebla*, bajo el título *La Iglesia, escuela de forjadores de historia*, afirman los obispos latinoamericanos que la Iglesia:

---

3. Sobre esta dimensión futurista escribe Ortega y Gasset: "Quiérase o no, la vida humana es constante ocupación con algo futuro. Desde el instante actual nos ocupamos del que sobreviene. Por eso vivir es siempre, siempre, sin pausa ni descanso, hacer. ¿Por qué no se ha reparado en que *hacer*, todo *hacer*, significa realizar un futuro? Inclusive cuando nos entregamos a recordar. *Hacemos* memoria en este segundo para lograr algo en el inmediato, aunque no sea más que el placer de revivir el pasado. Este modesto placer solitario se nos presentó hace un momento como un futuro deseable; por eso lo *hacemos*. Conste, pues: nada tiene sentido para el hombre sino en función del porvenir". En J. Ortega y Gasset, *La rebelión de las masas,* en sus *Obras completas* IV. Madrid, Alianza Editorial, 1987, pp. 265-266. "Según esto –añade el propio Ortega y Gasset en la nota–, el ser humano tiene irremediablemente una constitución futurista; es decir, vive ante todo en el futuro y del futuro".

"Del modo más urgente, debería ser la escuela donde se eduquen hombres capaces de hacer historia, para impulsar eficazmente con Cristo la historia de nuestros pueblos hacia el Reino".[4]

Cuando Teresa afirma: "Sí, yo quiero pasar mi cielo haciendo el bien en la tierra" [5], revela su deseo de impulsar el bien en la tierra. Sabe que padecemos muchas penas de fabricación meramente humana. Cierto, existen catástrofes naturales como los terremotos, las inundaciones, las sequías, etcétera. Pero seguramente los males que mayormente afligen a la humanidad son obra no sólo del Príncipe del mal, sino también de nuestro propio pecado. Recordemos lo que decía el *Documento de Puebla* sobre los rostros sufrientes del hombre.

- *Rostros de niños, golpeados por la pobreza desde antes de nacer...*
- *Rostros de jóvenes, desorientados por no encontrar su lugar en la sociedad...*
- *Rostros de indígenas y con frecuencia de afroamericanos, que viviendo marginados y en situaciones inhumanas, pueden ser considerados los más pobres entre los pobres.*
- *Rostros de campesinos, que como grupo social viven relegados...*
- *Rostros de obreros frecuentemente mal retribuidos y con dificultades para organizarse y defender sus derechos.*
- *Rostros de marginados y hacinados urbanos...*
- *Rostros de ancianos, cada día más numerosos, frecuentemente marginados de la sociedad...*[6]

---

4. Episcopado Latinoamericano, *Puebla*. México, Librería Parroquial de Clavería, 1996, n. 274, p. 120.

5. Sta. Teresa de Lisieux, *Últimas conversaciones* (17.7), en sus *Obras completas*, o. c., p. 826.

6. Episcopado Latinoamericano, *Puebla*, nn. 32-39, o. c., pp. 70-71.

Aunque los *rostros* recogidos en este cuadro, pertenecen a la sociedad latinoamericana, es posible encontrarlos también en los demás continentes de esta tierra, incluidos los países ricos de América del Norte, de Europa, del Asia, de la Oceanía, de Africa.

Así que Teresa de Lisieux tiene razón cuando, a dos meses ya de su muerte, sueña con pasar su cielo en la tierra. Y no sólo para cumplir su misión de hacer amar a Dios y de ofrecer su caminito, sino también de procurar el bien que transforme y haga sonreír esos rostros marcados por el dolor y el sufrimiento.

> *"Presiento que voy a entrar en el descanso... Pero presiento, sobre todo, que mi misión va a comenzar: mi misión de hacer amar a Dios como yo le amo y dar mi caminito a las almas. Si Dios escucha mis deseos, pasaré mi cielo en la tierra hasta el fin del mundo. Sí, yo quiero pasar mi cielo haciendo el bien en la tierra."* [7]

Al adoptar esta perspectiva de cara al futuro, sin que lo diga, se convierte a sí misma en una *forjadora de historia*. Se empeña en construir un futuro mejor. Quiere unir sus esfuerzos con la providencia del Padre y con los esfuerzos de los que aquí vivimos, para forjar un *mundo en el que todos queramos participar*.[8]

7.2 La esperanza: motor de la historia

Teresa se constituye *forjadora de historia* no sólo por realizar una misión que afecta a los creyentes y a la humanidad entera, sino también porque ella es un modelo en la práctica de la *esperanza*.

En 1997, con ocasión del primer centenario de la muerte de Teresa, el cardenal de Bruselas, Godfried Danneels, escribe:

---

7. Sta. Teresa de Lisieux, *Últimas conversaciones* (17.7), p. 826.

8. Tomo esta frase de la rama de la PNL que animan Robert B. Dilts y Judit De Lozier y que tiene como lema: "Para forjar un mundo al que las personas deseen pertenecer". Cfr el libro que tiene esa frase como subtítulo de R. B. Dilts, *Liderazgo creativo*. Barcelona, Urano, 1998.

"Por doquier flota un aire de angustia existencial. Ya se acepta comúnmente que la sola crisis económica no puede justificar tal situación. El verdadero problema se halla en otra parte: los tiempos no son los malos, es el alma del hombre la que está enferma. Como un cosmonauta encerrado en su cápsula espacial, el hombre se aferra a todo lo que se le ofrece para conservar el equilibrio.
¿Quién nos enseñará la esperanza? ¿Dónde podemos encontrar un modelo, a alguien que nos haya precedido en las tinieblas y angustias de la muerte? ¿Existe en algún lugar un doctor de la Esperanza?
... Teresa es la santa de la esperanza... La esperanza es esencial. En ningún lugar aparece al margen de la vida humana: es su músculo cardíaco, el miocardio. Si se detiene sobreviene la muerte." [9]

Para comprender la profundidad de estas palabras del Cardenal Danneels y, por lo mismo, los alcances históricos de la *esperanza,* conviene recordar las observaciones sobre esta actitud que ha hecho un filósofo de nuestro tiempo.

Ernst Bloch, judío alemán y marxista, tiene el mérito de haber descubierto en nuestro siglo la importancia fundamental de la *esperanza.* Sin esta actitud no hay cambio, ni progreso, ni historia.[10]

Bloch afirma, de acuerdo a su filiación marxista, que no cree en Dios, sino en la materia. Cree que ésta ha ido evolucionando hasta producir su flor más hermosa: la razón humana.

---

9. G. Danneels, *¿Quién nos enseñará la esperanza?*, en AA. VV., *Teresa de Lisieux. Vida. Doctrina. Ambiente.* Milano, San Paolo, 1996, pp. 5-6.

10. E. Bloch, *El principio esperanza*, vols. I-II. Madrid, Aguilar, 1988. Ofece una síntesis del pensamiento de Bloch, además de bibliografía abundante: F. Velasco, *La esperanza como compromiso.* Estella (Navarra) Verbo Divino, 1990.

Luego, la razón es capaz de dibujar, en el horizonte del futuro, los rasgos de la utopía, del sueño que parece imposible.

Enseguida, aprovechando las ricas potencialidades de la materia y bajo el impulso de la *esperanza*, el hombre se pone en camino hacia la realización de la utopía.

Pensemos en Leonardo da Vinci. Entre otras cosas, él concibe la utopía de lanzar al hombre por los aires, haciéndolo volar de un lugar a otro.

Así, teniendo a la vista muy diversas utopías: medicina para enfermedades incurables, transportes más veloces, medios de comunicación que nos hacen testigos de los acontecimientos históricos, etcétera, el hombre progresa.

Cierto, los sueños por sí mismos son estériles. Es necesario experimentar la confianza y optimismo de la *esperanza*. Esta, en efecto, se define como "un estado de ánimo en el cual se nos presenta como posible lo que deseamos".[11]

Se comprende, a la luz de estas comprobaciones, que sin esperanza no hay cambio, no hay progreso, no hay historia. En consecuencia, la *esperanza* se revela efectivamente como el *motor de la historia*.

Los teólogos reprochan a Bloch el haber cortado la vena más profunda y auténtica de la *esperanza*: Dios.[12] Pero, aunque resulta deplorable este radical empobrecimiento de la esperanza, hay que reconocer que Bloch ha recuperado el valor esencial de la esperanza.[13]

---

11. Es la definición que nos ofrece el *Diccionario de la lengua española*. Cfr L. J. González, *Esperanza para un futuro mejor*. Roma, Teresianum, 1998.

12. O. González de Cardedal, *Raíz de la esperanza*. Salamanca, Sígueme, 1995, pp. 11-14.

13. Es de este parecer J. Moltmann, *Teología de la esperanza*. Salamanca, Sígueme, 1989, pp. 436-466.

El resultado final de esta discusión es el mismo: la *esperanza constituye el motor de la historia*, por lo que respecta a la aportación que el hombre ha de ofrecer, con el cumplimiento de su misión, al plan eterno de Dios. En el presente designio de Dios, ya no van adelante *ni Dios sin el hombre ni el hombre sin Dios.*

Comprendemos así la contribución histórica de Teresa de Lisieux. Al vivir la *esperanza*, encarnando un verdadero *modelo* de esta actitud, ella potencia el dinamismo de la historia en el comienzo del tercer milenio.

¿Cómo se vive o se practica la esperanza? ¿Cuáles son los pasos concretos que estructuran la práctica de la esperanza?

Podemos distinguir *cuatro pasos principales en la práctica de la esperanza.*[14]

1. *Soñar*
2. *Confiar*
3. *Gozar*
4. *Actuar*

Soñar. Teresa se demuestra excelente en la práctica de este primer paso de la *esperanza.* Es el momento de elaborar y nutrir *deseos.* Se trata, sobre todo, de *deseos extraordinarios* que puedan delinear los rasgos de la utopía.

De hecho, si recogemos algunas de las expresiones de Teresa, escritas por ella misma, confirmamos su talento ejemplar para *soñar* o formular *deseos.* En esta habilidad, ella aparece como una maestra que nos enseña a diseñar escenarios futuros, a visualizarnos diferentes, a practicar lo que Jesús enseña: "Cuanto pidáis en la oración creed que ya lo habéis recibido, y se os concederá" (Mc 11,24).

En fin, pertenecen a la pluma de Teresa de Lisieux las afirmaciones siguientes:

---

14. L. J. González, *Esperanza para un futuro mejor*, o. c., pp. 101-134.

–Sólo él (Dios) puede colmar mis inmensos deseos.[15]
–Mis deseos, mis esperanzas que rayan el infinito.[16]
–Deseos míos más grandes que el universo.[17]
–Temería verme aplastada bajo el peso de mis audaces deseos.[18]
–Mis inmensos deseos ¿no serán un sueño, una locura...?[19]
–¿Por qué no reservas estas aspiraciones tan inmensas para las almas grandes...?[20]
–Mi corazón siente en sí todas las aspiraciones del águila.[21]

Confiar. Una vez que alentamos nuestros *deseos* o dibujamos nuestros *sueños*, la esperanza nos alienta a sentir que sí es posible su realización. Para esto, la esperanza suscita en nuestro corazón el sentimiento de *confianza.* Lo cual, en Teresa resulta igualmente sorprendente y ejemplar. Recordemos dos textos que expresan su *confianza* en Dios:

–Estoy convencida de que, si por un imposible, encontrases, (Señor), un alma más débil y más pequeña que la mía, te complacerías en colmarla de gracias todavía mayores, con tal de que ella se abandonase con confianza total a tu misericordia infinita.

---

15. Sta. Teresa de Lisieux, *Manuscrito A* [81vº], p. 241.
16. Sta. Teresa de Lisieux, *Manuscrito B* [2vº], p. 258.
17. Ib. [3rº], p. 260.
18. Ib. [4rº], p. 262.
19. Ib. [4vº], p. 264.
20. Ib. [4vº], p. 264.
21. Ib. [4vº-5rº], p. 265.

–Mi camino es todo él de confianza y de amor... la perfección me parece fácil: veo que basta con reconocer la propia nada y abandonarse como un niño en los brazos de Dios.[22]

Gozar. El gozo y la alegría son un producto natural y espontáneo de la esperanza. San Pablo ha percibido este hecho con su agudeza habitual. Recomienda la práctica de la caridad fraterna "con la alegría de la esperanza" (Rom 12,12). También desea a los miembros de la comunidad de Roma: "El Dios de la esperanza os colme de todo gozo y paz en la fe, hasta rebosar de esperanza por la fuerza del Espíritu Santo" (Rom 15,13).

Teresa también, como sucede a todo ser humano, cuando prevé los bienes que confía recibir de Dios en el futuro, se llena de gozo y felicidad.

–El pensamiento del cielo constituía toda mi felicidad.[23]
–Lo que me atrae hacia la patria del cielo es la llamada del Señor, es la esperanza de poder amarlo al fin tanto como he deseado, y el pensamiento de que podré hacerlo amar por una multitud de almas que lo bendecirán eternamente.[24]
–¡Qué felicidad si muriese ahora mismo![25]

Actuar. Teresa, además de la *alegría*, fruto de la *confianza*, que la hace ver sus *sueños* como si ya se hubieran realizado, siente el impulso o necesidad de *actuar*. Precisamente porque la *esperanza* le hace

---

22. Sta. Teresa de Lisieux, *Cartas* (9-V-1897), en sus *Obras completas*, o. c., p. 587.

23. Sta. Teresa de Lisieux, *Manuscrito C* [5r°], p. 278.

24. Sta. Teresa de Lisieux, *Cartas* (14-VII-1897), o. c., p. 606.

25. Sta. Teresa de Lisieux, *Últimas conversaciones* (29.9.4), o. c., p. 921.

sentir como posible lo que desea, se lanza a la *acción*. Más todavía, actúa porque se siente respaldada por el amor, la misericordia y el amor de Dios y de Jesús, su Hijo.

> *–Los pensamientos más hermosos no son nada sin las obras.*[26]
> *–(Jesús) sabe muy bien que, aunque yo no goce de la alegría de la fe, al menos trato de realizar sus obras.*[27]
> *–Sé que Jesús no puede desear para nosotros sufrimientos inútiles, y que no me inspiraría estos deseos que siento si no quisiera hacerlos realidad.*[28]
> *–Sigo teniendo la misma confianza audaz de llegar a ser una gran santa, pues no me apoyo en mis méritos –que no tengo* ninguno–, *sino en Aquel que es la Virtud y la Santidad mismas. Sólo él, contentándose con mis débiles esfuerzos, me elevará hasta él y, cubriéndome con sus méritos infinitos, me hará* santa.[29]

Al enseñarnos estos cuatro pasos de la *esperanza*, Teresa nos entrena, en cierto sentido, para que sepamos convertirnos en forjadores de historia igual que ella.

Sorprende que una joven carmelita, que muere desconocida por sus propias hermanas en un rincón de Francia, el 30 de septiembre de 1897, ha sido declarada Patrona universal de las misiones junto

---

26. Sta. Teresa de Lisieux, *Manuscrito C* [19v°], p. 300.
27. Ib. [7r°], p. 280.
28. Sta. Teresa de Lisieux, *Manuscrito A* [84v°], p. 247.
29. Sta. Teresa de Lisieux, *Manuscrito A* [32r°], p. 139.

con san Francisco Javier.[30] Más recientemente, el 19 de octubre de 1997, SS. Juan Pablo II la ha proclamado Doctora de la Iglesia universal. Con estos hechos, y sobre todo con el influjo espiritual que tiene en miles de almas, demuestra su capacidad de forjar nuevos rumbos para la historia de la humanidad.

Ella, que pasa su cielo aquí en la tierra, quiere mover el corazón de cada ser humano para que ame a Dios como ella lo ama y para que, juntamente con Dios, se convierta en forjador de una historia más humana, justa, pacífica y llena de Dios para beneficio de todos los hombres y mujeres de todos los tiempos.

---

30. S.S. Pío XI la proclama, junto con san Francisco Javier, patrona principal de todos los misioneros, hombres y mujeres, y de las misiones de todo el mundo, el 14 de diciembre de 1927. Hay autores que adoptan esta perspectiva de las misiones de la Iglesia para leer las afirmaciones que Teresa hace sobre su "misión personal". Por ejemplo, T. Mercury, *Essai sur Thérèse Martin*. Paris, L'Harmattan, 1997, pp. 118-122.

CONCLUSIÓN

El acercamiento a Teresa por medio de sus escritos puede reanimar nuestra esperanza. Ella, tal vez, ha emprendido su proceso de desarrollo humano a partir de condiciones mucho más precarias que las de muchos. Ya sabemos que la pérdida de su madre a los cuatro años y medio, y, hacia los diez años, de su hermana Paulina que desempeñaba el papel de segunda madre, frenan de modo notable su crecimiento personal.

Sin embargo, a pesar de sus grandes limitaciones, emprende el camino espiritual con gran pasión y entusiasmo. Al realizar un esfuerzo generoso para acoger la gracia del Señor, quizá sin proponérselo conscientemente, involucra su humanidad en un auténtico proceso de crecimiento y maduración constantes.

Por este camino, seguramente el único que conduce hasta las más altas cumbres del desarrollo humano, Teresa consigue una interacción efectiva de su naturaleza humana con la gracia. Una gracia que Jesús le ha ofrecido a cada momento de su vida, tal como hace actualmente con cada uno de nosotros.

Ahora, al admirar los resultados de la colaboración de Teresa con la gracia del Señor, podemos adoptarla como ejemplo de desarrollo humano. Ella, en efecto, nos puede enseñar mucho sobre la *autoestima,* el *control de los factores determinantes de la salud,* el *arte de pensar*, la *libertad emocional,* el *comportamiento excelente*, la búsqueda y cumplimiento de la *misión personal* y la práctica de la *esperanza*, para convertirnos en *forjadores de historia.*

De veras nos encontràmos ante un *programa de desarrollo humano* respaldado por la vida de esta joven doctora de la Iglesia.

Me parece difícil encontrar, hasta ahora, algún personaje histórico, algún líder, genio o santo que ofrezca tantos ejemplos sobre el camino de desarrollo humano tal como nos propone la PNL, la última corriente de psicología. Son de veras numerosas las demostraciones ofrecidas por Teresa de Lisieux sobre la validez de las técnicas de la PNL.

No en balde los impulsores de esta nueva corriente psicológica confiesan que la PNL no es una invención, sino un descubrimiento. Sí, así es: la PNL ha descubierto lo que grandes hombres o grandes mujeres han hecho para ser excelentes o para alcanzar las cumbres más altas del desarrollo humano. No es extraño, por tanto, que alguien pudiera pensar que Teresa de Lisieux había sido entrenada en el uso de sus talentos por algún maestro de la PNL.

También tú y yo y todos los seres humanos estamos llamados a esa meta elevada de la plenitud humana. Una plenitud que, según la experiencia de la más joven doctora de la Iglesia, se alcanza solamente al acoger, explícita o implícitamente, el apoyo del Señor. Con el Creador como aliado, es más fácil y seguro que logremos avanzar hacia las metas del desarrollo humano.

En efecto, Teresa nos estimula, con su ejemplo y doctrina, a poner la mirada en las altas cumbres de "deseos inmensos".[1] Con ojos de águila, que la fe

---

1. William James, padre de la psicología de Estados Unidos, afirma que "en todas las edades, el hombre cuyas determinaciones han sido orientadas por una referencia a las metas más distantes, ha logrado disponer de la más alta inteligencia". Teresa, pues, nos enseña a tener metas elevadas, sueños distantes, utopías atrevidas, no sólo para practicar la esperanza y dar ocasión al Creador para que lleve a cabo su plan de liberación y salvación, sino también para desarrollar nuestra libertad, inteligencia y demás capacidades que nos permiten conseguir el desarrollo humano en plenitud. *Desarrollo humano en plenitud* significa acercarnos, consciente o inconscientemente al "hombre perfecto", a Jesús de Nazaret (Vaticano II, *La Iglesia en el mundo actual*, 41).

transplanta en el rostro de nuestra alma, podemos visualizar los picos sin fin de "esperanzas que rayan el infinito".[2]

Me parece que el mejor resumen de las páginas de este ensayo es la actitud de *esperanza*. La mejor síntesis del ejemplo de Teresa de Lisieux, en cuanto modelo de desarrollo humano, se halla contenida en la *esperanza*. La *esperanza* que nos hace nutrir *deseos inmensos*, al mismo tiempo que suscita *confianza* y *gozo*, para lanzarnos a *actuar* con entusiasmo, optimismo y creatividad.

Esta clase de *esperanza* se demuestra fundamental no sólo para el *desarrollo humano*, sino también para el crecimiento de las comunidades e instituciones, para forjar una historia más humana en este nuevo milenio, sobre todo, para alcanzar la plenitud espiritual mediante la unión de amor con Jesús y con todos los hombres, al calor de la ternura de Dios Padre, que es su Espíritu.[3]

---

2. Sta. Teresa de Lisieux, *Manuscrito B* [2vº], p. 258.

3. Dice Urs von Balthasar que la teología de Teresa "es esencialmente una teología del Espíritu Santo". En H. U. von Balthasar, *Actualité de Thérèse de Lisieux*, en AA. VV., *Thérèse de Lisieux. Conférences du Centenaire* (1873-1973), París, 1973, p. 112.

BIBLIOGRAFIA

André, Ch., Lelord, F., *L'estime de soi.* Paris, Odile Jacob, 1999.

Andreas, S., and Faulkner, Ch., (Eds.), *PNL La nueva tecnología del éxito.* Barcelona, Urano, 1998.

Balthasar (von), H. Hurs. *Teresa de Lisieux, Historia de una misión.* Barcelona, Herder, 1989.

Bandler, R., & Grinder, J., *The Structure of Magic.* Palo Alto, CA, Science and Behavior Books, 1975.

Bandler, R., and Grinder, J., *Reframing.* Moab, Utah, Real People Press, 1982.

Benson, H., with M., Klipper. *The Relaxation Response.* New York, NY, Avon 1976.

Benson, H., with Proctor, W., *Your Maximum Mind.* New York, NY, Avon, 1989.

Benson, H., with Stark, M., *Timeless Healing.* New York, NY, Scribner, 1996.

Bloomfield, H. H., *Making Peace with Yourself.* New York, Ballantine, 1992.

Chopra, D., *Ageless Body, Timeless Mind.* New York, NY, Hannon Books, 1993.

De Bono, E., *Réfléchir mieux.* Paris, Les Éditions d'Organization, 1991.

De Meester, C., *La dinámica de la confianza.* Burgos, Monte Carmelo, 1998.

D'Ornellas, P., *Sainte Thérèse de l'Enfant Jésus. "Ma folie à moi c'est d'espérer".* Paris, Mame, 1997.

Dilts, R., Grinder J., Bandler, R., L. Cameron-Bandler, De Lozier, J., *Programmazione Neurolinguistica.* Roma, Astrolabio, 1982.

Dilts, R. B., Epstein, T. A., *Aprendizaje dinámico con PNL.* Barcelona, Urano, 1997.

Dilts, R., Hallborn & Smith, S., *Beliefs. Pathways to Health & Well-Being.* Portland, OR. Metamorphus, 1990.

Dilts, R, B., and Epstein, T., *Tools for Dreamers.* Cupertino, CA, Meta Publications, 1991.

Dilts, R. B., *Modeling with NLP.* Capitola, CA, Meta Publications, 1991.

Dilts, R. B., and McDonald, R., *Tools of the Spirit.* Capitola, CA, Meta Publications, 1997.

Dilts, R, B., *Liderazgo creativo.* Barcelona, Urano, 1998.

Dossey, L., *Healing Words.* New York, NY, HarperSanFrancisco, 1993.

Dossey, L., *Prayer is Good Medicine.* New York, NY, HarperSanFrancisco, 1996.

Episcopado Latinoamericano, *Puebla.* México, Librería Parroquial de Clavería, 1996.

Fonseca, C., *Si alguien puede, tú puedes.* México, Pax, México, 1998.

Fromm, E., *El arte de amar.* Buenos Aires, Paidós, 1982.

Gaucher, G., *L'ultima malattia.* in AA.VV. *Teresa di Lisieux. Vita. Dottrina. Ambiente.* Arenzano, Messaggero, 1996.

Gaucher, G., *La pasión de Teresa de Lisieux.* Burgos, Monte Carmelo, 1997.

Goleman, D., *La forza della meditazione.* Milano, Rizzoli, 1997.

González, L. J., *PNL Éxito y excelencia personal.* Monterrey, México, Font, 1997.

González, L. J., *Autoestima.* Buenos Aires, Lumen, 1999.

González, L. J., *Amor, salud y larga vida.* Monterrey, México, Font, 1993.

González, L. J., *Libertad ante el estrés.* Monterrey, México, Font, 1993.

González, L. J., *Salud. Nuevo estilo de vida.* Roma, Teresianum, 1998.

González, L. J., *Pensar.* Monterrey, México, Publicaciones, Monterrey, 1999.

González, L. J., *Ser creativo.* Buenos Aires, Lumen, 1999.

González, L. J., *Liberación personal.* Monterrey, México, Font, 1998.

González, L. J., *Psicología de la excelencia personal.* Monterrey, México, Font, 1994.

González, L. J., *Misión personal.* Roma, Teresianum, 2000.

González de Cardedal, O., *Raíz de la esperanza.* Salamanca, Sígueme, 1995.

Gordon, D., *Modelling with NLP.* Lakewood, CO, NLP Comprehensive, 1998.

Guitton, J., *Le Génie de Thérèse de Lisieux.* Paris, Éditions de l'Emmanuel, 1995.

Helmstetter, S., *What to Say When You Talk to Yourself.* New York, Pocket, 1987.

Hillman, C., *Recovery of Your Self-Esteem.* New York, Simon & Shuster, 1992.

Jones, L. B., *The path. Creating Your Mission Statement for Work and for Life.* New York, NY, Hyperion, 1996.

Juan Pablo II, *La fe y la razón* (14-IX-1998). Madrid, San Pablo, 1998.

Mc Dermott, J., & O'Connor, J., *NLP and Health.* London, HarperCollins, 1996.

Maître. J., *L'Orpheline de la Bérésina. Thérèse de Lisieux.* Paris, Cerf, 1995.

Masson, R., *Souffrance des hommes. Un psychiatre interroge Thérèse de Lisieux.* Paris, Saint-Paul, 1997.

Mercury, Th., *Essai sur Thérèse Martin.* Paris, L'Harmattan, 1997.

O' Connor, J., and Seymour, J., *Introducing Neuro-Linguistic Programming.* London, HarperCollins, 1990.

Ortega y Gasset, J., *Rebelión de las masas,* en *Obras completas, IV.* Madrid, Alianza Editorial, 1987.

Pelletier, K, R., *Sound Mind, Sound Body.* New York, Simon & Schuster, 1994.

Procès apostolique de Thérèse de Lisieux. Roma, Teresianum, 1976.

Ratzinger, J,. *La meditación cristiana.* Roma, Congregación para la Doctrina de la Fe, (15-X-1989).

Robbins, A., *Despertando al gigante interior.* México, Grijalbo, 1993.

Robbins, A., *Poder sin límites.* México Grijalbo, 1988.

Rosselló J. e Mir, *Psicología de la atención.* Madrid, Pirámide, 1998.

San Juan de la Cruz, *Obras completas.* Madrid, BAC, 1960.

Santa Teresa de Lisieux, *Consigli e ricordi.* Milano, Ancora, 1963.

Santa Teresa de Lisieux, *Obras completas.* Burgos, Monte Carmelo, 1996.

Seligman, M.E.P., *Learned Optimism.* New York, Pocket, 1992.

Senge, P.M., *La quinta disciplina.* Buenos Aires, Vergara/Granica, 1992.

Stephan, N., *Finding Your Mission.* Walpole, NH, Stillpoint, 1989.

Walsh, A., *The Science of Love.* Buffalo, NY, Prometheus Books, 1996.

Winger, W. and Poe, R., *The Einstein Factor.* Rocklin, CA, Prima Publishing, 1996.

Yeager, J., *Thinking about Thinking.* Cupertino, CA, Meta Publications, 1985.

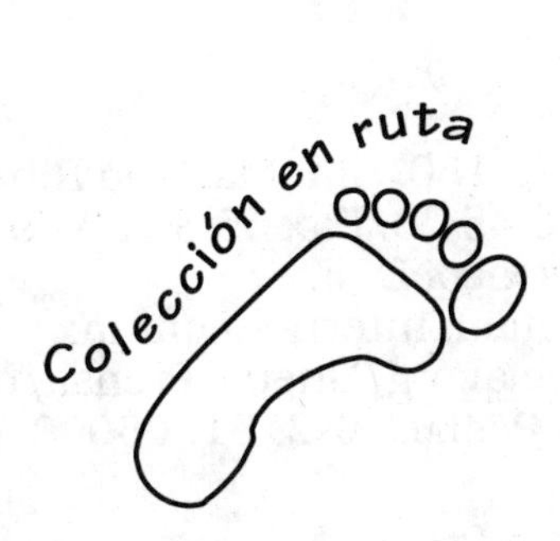

1. **Para vivir mejor.**
   Roberto Assagioli.
   56 págs.

2. **Comunicación y manejo de sentimientos.**
   Curso popular para la maduración afectiva.
   Luis Valdez Castellanos, S.J.
   96 págs.

3. **Psicología de Teresa de Lisieux.**
   Desarrollo humano de una Doctora de la Iglesia.
   Luis Jorge González.
   112 págs.

4. **Imágenes del Espíritu en el cine.**
   Luis García Orso, S.J.
   88 págs.

Librerías de Buena Prensa